DIALOGUES

d'hommes et de bêtes

ADAGIO *(contes)*, Fides, Montréal.

1ère édition, 5e mille, mars 1944.
2e édition, 10e mille, octobre 1944.
3e édition, 15e mille, mai 1946.
4e édition, 18e mille, octobre 1947.
5e édition, 20e mille, mars 1949.
6e édition, 23e mille, novembre 1951.

ALLEGRO *(fables)*, Fides, Montréal.

1ère édition, 5e mille, août 1944.
2e édition, 9e mille, octobre 1944.
3e édition, 11e mille, mai 1946.
4e édition, 14e mille, sept. 1947.
5e édition, 16e mille, mars 1949.
6e édition, 19e mille, novembre 1951.

ANDANTE *(poèmes)*, Fides, Montréal.

1ère édition, 5e mille, décembre 1944.
2e édition, 10e mille, juin 1945.
3e édition, 13e mille, septembre 1947.
4e édition, 15e mille, mars 1949.

PIEDS NUS DANS L'AUBE *(roman)*,
Fides, Montréal.

1ère édition, 10e mille, janvier 1947.
2e édition, 15e mille, septembre 1947.
3e édition, 18e mille, novembre 1950.

FÉLIX LECLERC

DIALOGUES

d'hommes et de bêtes

(2e édition, 7e mille)

FIDES

25 est, rue Saint-Jacques, MONTRÉAL
120, boulevard Raspail, PARIS
1951

SANDALE LE CHARMEUR

Juge. — Alors jeune homme, votre dossier m'en raconte une belle histoire ?

Chauffeur. — Hélas, son Honneur !

Juge. — Vous êtes conducteur d'autobus depuis dix ans ?

Chauffeur. — Oui, son Honneur.

Juge. — Et soudain vous abandonnez le circuit ? Vous prenez la route de la campagne sans avertir vos passagers ? Vous sortez de vos responsabilités d'un coup de volant ? Qu'est-ce que c'est que cette fantaisie ? Vos directeurs m'ont demandé un rapport sévère, vu la gravité du cas.

Chauffeur. — Une folie, son Honneur, je plaide coupable.

Juge. — S'il fallait que tous nous lâchions nos bureaux, s'il fallait que tous les fonctionnaires d'un coup de tête fichent leurs papiers en l'air et s'en aillent, ce serait un beau désordre dans la ville. Alors, vous n'étiez pas satisfait du salaire ?

Chauffeur. — Ce n'est pas cela, son Honneur.

Juge. — Vous avez voulu démontrer votre mécontentement aux autorités, de façon éclatante ?

Chauffeur. — Ce n'est pas cela non plus.

Juge. — Vous vouliez faire la grève seul ?

Chauffeur. — Non plus, son Honneur.

Juge. — Alors ?

Chauffeur. — C'est Sandale.

Juge. — Sandale ? Qui ?

Chauffeur. — Un homme sans adresse et sans parents, un homme qui marche et qui cueille des images le long des chemins et qui m'a ensorcelé.

Juge. — Comment donc ? Quelle sottise !

Chauffeur. — Un soir il est venu coucher chez moi.

Juge. — Le connaissiez-vous, cet homme ?

Chauffeur. — Tout le monde le connaît. C'est un démon, un sorcier qui nous appelle son neveu ; un enjôleur qui sait les paroles qui donnent la fièvre aux femmes et l'obsession du large aux hommes. Il est venu. Je l'ai gardé à souper. Après souper, il m'a dit : Causons. Et nous avons causé.

———

Sandale. — Depuis dix ans que tu roules cette boîte, neveu ?

Chauffeur. — Dix ans, mon oncle.

Sandale. — C'est quoi un chauffeur d'autobus ?

Chauffeur. — C'est « Embarquez ! Vos billets ! Attention aux portes ! »

Sandale. — Ensuite ?

Chauffeur. — C'est le nom des rues que l'on crie à mesure qu'elles surgissent.

Sandale. — Ensuite ?

Chauffeur. — C'est le poteau noir avec le disque dessus où c'est écrit : « Arrêt d'autobus ».

Sandale. — Et tu arrêtes ?

Chauffeur. — Naturellement.

Sandale. — Naturellement. C'est quoi encore ?

Chauffeur. — C'est le change que l'on donne et le clic de la petite banque qu'on porte sur le ventre, et les correspondances que l'on distribue, et le petit outil qui poinçonne en faisant *clap*.

Sandale. — Et puis ?

Chauffeur. — C'est la lumière rouge, jaune, verte, la clef pour la porte, la corde pour la sonnerie, le miroir par où l'on surveille les clients.

Sandale. — Et cette casquette ?

Chauffeur. — C'est la casquette.

Sandale. — Et puis ?

Chauffeur. — Et puis c'est le tour d'un circuit.

Sandale. — Circuit ? Oh ! Intéressant...

Chauffeur. — Un circuit. Un rond. Un chemin.

Sandale. — Je vois. Et le lendemain qu'est-ce que c'est ?

Chauffeur. — C'est le circuit qui recommence.

Sandale. — Et le jour d'après ?

Chauffeur. — C'est le circuit qui recommence.

Sandale. — Et après que le dimanche et le soleil sont passés, quand vient novembre, trempé de glas et de pluies ?

Chauffeur. — C'est le circuit.

Sandale. — Et quand les pousses éclatent et que les bourgeons saignent ?

Chauffeur. — C'est pareil.

Sandale. — Et quand le soleil devient boule de feu et que les feuilles ne bougent pas et que l'hymne de l'été passe par-dessus les nuages ?

Chauffeur. — C'est pareil.

Sandale. — Intéressant. Et les yeux ?

Chauffeur. — Quoi ?

Sandale. — Les yeux ?

Chauffeur. — À la longue, ça fait mal ; la danse des lumières les fait clignoter.

Sandale. — Tu te les reposes ?

Chauffeur. — Sur des lits de gazon en passant chez les riches.

Sandale. — Et les mains ?

Chauffeur. — Blanches elles deviennent, à force d'être à l'ombre.

Sandale. — Et le front ?

Chauffeur. — Blanc aussi, avec la barre rouge à cause de la casquette.

Sandale. — Et les épaules et le ventre ?

Chauffeur. — C'est bien.

Sandale. — Et ça ?

Chauffeur. — La tête ? Ça ne pense qu'aux arrêts et aux clients.

Sandale. — Ça ne pense pas aux collines où sont les moutons ?

Chauffeur. — Ça n'a pas le temps ; ça surveille la route et ça pense à l'heure qu'on aura fini.

Sandale. — Et ça ?

Chauffeur. — Le cœur ?

Sandale. — Oui.

Chauffeur. — Ah, ça fait tic tac, ça se gonfle quand on frôle un piéton, ou quand on éclabousse une dame sur le trottoir.

Sandale. — Et les étoiles ?

Chauffeur. — On les voit un peu quand on grimpe une côte. Un peu... mais on peut dire qu'on ne les voit pas.

Sandale. — Et ça recommence ?

Chauffeur. — Ça recommence.

Sandale. — Circuit ?

Chauffeur. — Oui.

Sandale. — Très intéressant.

Chauffeur. — Oncle Sandale, vous me faites parler de l'ouvrage que je fais avec les détails et les poinçons et les clefs et les heures, voudriez-vous devenir chauffeur d'autobus ? Vous êtes trop vieux, on ne vous acceptera pas.

Sandale. — Soyons sérieux ; moi je ne conduirais que l'autobus qui mène à la lune et encore... Dis-moi, le bout de ton circuit, où c'est ?

Chauffeur. — C'est au bord de la ville comme au bord d'une assiette.

Sandale. — Décris-moi ce bord.

Chauffeur. — C'est fumeux, brumeux à cause du champ où sont les huiles, mais c'est silence et déjà plus tranquille. On y arrête dix minutes pour fumer ; moi je fais le tour de l'autobus et je regarde par la route.

Sandale. — Quelle route ?

Chauffeur. — La route de sable, où est l'écriteau des campagnes.

Sandale. — De là, voit-on la campagne ?

Chauffeur. — Non, mais on la devine là, à gauche, dépassé la cabane du terminus.

Sandale. — Tu l'as devinée ?

Chauffeur. — Un soir, je l'ai sentie à travers l'huile.

Sandale. — Tu l'as sentie ?

Chauffeur. — Oui. Un soir. Là montent parfois des vieux aux mains brunes qui portent des verdures sous le bras.

Sandale. — Écoute-moi bien.

Chauffeur. — J'écoute, oncle Sandale.

Sandale. — Je vais te dire les choses qui ne sont pas sur ton chemin d'autobus. Par delà la route de sable, il y a des collines et des moutons. Un mouton, c'est un morceau de colline en marche. Par delà la route de sable, il y a l'eau frissonnante et des truites dessous. Une truite, c'est une vague.

Chauffeur. — Ensuite Sandale, qu'y a-t-il ?

Sandale. — La source froide pour tremper ta main. Pour appuyer ton dos, l'arbre qui n'a pas le poumon de ciment. Je te dis que le mouton ressemble aux collines et que les hommes de la mer ont les yeux comme de l'eau verte ; je te dis que les chèvres de ce pays, tu les prendrais pour des cailloux quand elles sont couchées au bord des abîmes. Moi, j'ai respiré le vent des îles, où les nuages petits et blancs ont des ailes avec la pointe jaune ; ces nuages-là s'appellent des mouettes. Tu n'as jamais vu cela ?

Chauffeur. — Non. Et j'ai trente et un ans.

Sandale. — Et tu fais le trajet ? Le même ?

Chauffeur. — Depuis dix ans.

Sandale. — Tu attaches les semaines l'une derrière l'autre comme des anneaux de collier, toutes semblables. Tu fais le tour de la ferraille : de la ruelle des taudis au boulevard des palais...

Chauffeur. — Je fais mon devoir. Je gagne ma vie. J'ai femme et enfants.

Sandale. — Je sais. Et tu es content ?

Chauffeur. — Très content.

Sandale. — Neveu de Sandale ! Tu dois quand même parfois être fatigué du chemin tracé d'avance.

Chauffeur. — Parfois.

Sandale. — Écoute-moi bien.

Chauffeur. — J'écoute.

Sandale. — Si demain...

Chauffeur. — Quoi demain ?

Sandale. — Non. Pas demain. Si après demain, une fois arrivé au bout du circuit, au lieu de dire « Embarquez ! Vos billets ! Les portes ! », si tu donnais le coup de roue à gauche et si tu prenais la route de sable qui t'a apporté le parfum.

Chauffeur. — Non ! Non ! Non ! Non !

Sandale. — Bon.

Chauffeur. — Jamais ! Vous êtes fou ? Vous voulez me faire faire des choses qui finiraient par procès, perte de la situation et scandale ? Non.

Sandale. — Bon.

Chauffeur. — « La 129 n'est pas rentrée ! » À la remise, on va crier dans le haut-parleur : « La 129 manque ! » Et au téléphone on va crier : « La 129 s'est évadée ! La 129 est une déserteuse ! » Et la 129 c'est moi.

Sandale. — Bon, bon.

Chauffeur. — Dites donc, voulez-vous faire de moi un déserteur ?

Sandale. — Non.

Chauffeur. — Dites donc, vous m'empoisonnez, savez-vous ? Qui vous a dit que je voulais voir de l'autre côté du champ d'huile ? Qui vous a dit que je trahirais le circuit ?

Sandale. — Personne. Je croyais que ton désir était de voir les moutons qui ressemblent à des morceaux de collines en marche, et la truite qui ressemble à la vague et la chèvre qui ressemble au caillou.

Chauffeur. — Jamais.

Sandale. — Bon.

Chauffeur. — Je ne veux pas voir les moutons et les collines, ni la truite qui ressemble à la vague.

Sandale. — Ni la source où l'on boit dans sa main ?

Chauffeur. — Ni la source.

Sandale. — Ah !

Chauffeur. — Mais vous êtes fou ? Qu'est-ce que vous voulez me faire faire, oncle Sandale ? Est-ce que je me plains ? J'ai une montre qui marque les secondes, j'ai une casquette à visière luisante et des boutons d'or sur mon habit et des pantalons avec le ruban noir de chaque côté, et un bon capot, l'hiver, et des gants de cuir, et un salaire et des heures régulières et une chance de prendre un circuit plus reposant un jour.

Sandale. — Quand ?

Chauffeur. — Un jour.

Sandale. — Tant mieux.

Chauffeur. — Et je dis salut à plusieurs de mes clients en remettant la monnaie, et j'embraye et je pousse la pédale et la maison se met en marche, et c'est moi qui mène tout ça : des vieux et des jeunes ; des jeunes filles à la jambe droite et des écoliers avec leurs billets d'étudiants. Je suis responsable. Je re-

mue la foule dans les bras de ville, je dégonfle les
quais. Les ouvriers, gris de poussière et de fatigue,
se fient sur moi pour le retour au foyer. Qui dépo-
sera la vieille à la porte du cimetière au printemps ?
Qui, un soir de chance, descendra le malheureux à
un rendez-vous de bonheur ? Non ! Non ! Ma chauf-
ferette chauffe et ma sonnette fonctionne bien et les
roues sont solides, et le frein obéit quand je pousse
dessus. Non, non, non, non, je ne changerais pas
mon métier, je n'en veux pas d'autre. Je connais ce
que je connais, et ça me suffit !

Sandale. — Maintenant, moi je me couche. Tu
m'as dit que je peux coucher ici dans ton salon ?

Chauffeur. — Oui. Ici sur le divan, vous serez
bien.

Sandale. — Comme un roi.

Chauffeur. — On peut causer encore ?

Sandale. — Mais non, je t'empoisonne.

Chauffeur. — Vous partez demain, oncle. Pour
où ?

Sandale. — Voir les collines se renvoyer la brume
par-dessus l'épaule, comme des mains qui se passent
un billet doux, et les moutons sont dessous qui
broutent la rosée...

* * *

Chauffeur. — Et puis un matin son Honneur, rendu au bout du circuit, ben... ç'a été plus fort que moi.
Il faisait soleil et la route de sable me harcelait avec
son parfum des collines. J'ai poussé la pédale et j'ai
tourné à gauche, je suis sorti du labyrinthe, et vers
le pays qui m'empêchait de dormir, j'ai piqué.

Juge. — Avec l'autobus ?

Chauffeur. — Oui, son Honneur.

Juge. — Il y avait des gens à bord.

Chauffeur. — Oui, qui m'ont crié, qui m'ont demandé si j'étais devenu fou. Vers le soir, on repérait mon autobus au bord du chemin près d'une source. J'étais dans le flanc de la colline, assis comme un berger, observant les moutons qui broutaient le trèfle.

Juge. — Et puis ?

Chauffeur. — Et puis, je voudrais bien que tout s'arrange, je voudrais bien reprendre ma place de chauffeur d'autobus.

Juge. — Nous essayerons d'arranger cela.

Chauffeur. — Vous voyez bien que quelqu'un m'a poussé vers les mensonges ?

Juge. — Je vois.

Chauffeur. — Et puis, j'ai respiré les vents. Maintenant je n'y penserai plus, je veux ravoir ma place.

Juge. — Tu l'auras. Au fait, où est ce Sandale ?

Chauffeur. — Nulle part et partout, son Honneur, c'est un sorcier.

Juge. — Nous le trouverons. Suivant !

———

Juge. — Et toi, jeune homme ?

Jardinier. — Moi, je suis de la campagne.

Juge. — On t'a arrêté hier pour vagabondage et désordre. Tu t'es battu ?

Jardinier. — J'étais saoul.

Juge. — Ton métier ?

Jardinier. — Jardinier.

Juge. — Où habites-tu ?

Jardinier. — Aux collines, son Honneur.

Juge. — Que fais-tu en ville ?

Jardinier. — Je ne sais pas.

Juge. — Comment ?

Jardinier. — Ce n'est pas moi.

Juge. — Toujours la même histoire.

Jardinier. — Je comparais en cour pour la première fois et je dis que je ne suis pas coupable cent pour cent. Je suis coupable cinquante pour cent. Un homme m'a enjôlé.

Juge. — Qui ?

Jardinier. — Sandale.

Juge. — Encore lui ?

Jardinier. — Vous le connaissez ?

Juge. — Continue. Qui est-il ?

Jardinier. — Un homme qui passe par chez nous chaque été et, sur la galerie de bois en fumant sa pipe, nous raconte des choses de la ville. Il m'a empoisonné.

Juge. — Raconte.

Jardinier. — Qu'est-ce que je voulais, moi ? Rien. J'étais heureux dans mes serres, parmi mes fleurs. Cet homme est venu. Il a avancé le banc, il s'est assis dessus et pendant que je travaillais, il a causé. Il a dit des mots que je ne savais pas et qui enivrent comme le vin.

Juge. — Je veux les entendre.

Jardinier. — Les voici, son Honneur.

Sandale. — Neveu !...

Jardinier. — Oui.

Sandale. — Tes fleurs sont bien jolies, mais j'en sais de plus jolies.

Jardinier. — Vraiment ? Et où donc, oncle Sandale ?

Sandale. — Je n'ose pas. Il est peut-être préférable que tu ignores l'endroit. La source ne connaît pas la mer, et c'est préférable. La source ignore que la mer est remplie de pièges, de ténèbres et de requins. Et c'est mieux ainsi.

Jardinier. — Si vous croyez que c'est mieux, ne le dites pas.

Sandale. — Tu ne sais rien de la ville, neveu ?

Jardinier. — Rien. Je suis né dans la maison barbue que vous voyez derrière les ormes, et je vais y mourir.

Sandale. — C'est bien. Je te félicite.

Jardinier. — Mais faites-moi voir quand même, Sandale, cet endroit où paraît-il les fleurs sont plus belles que les miennes...

Sandale. — Il existe, neveu, cet endroit.

Jardinier. — Je suis pourtant le meilleur jardinier du canton. Des messieurs en limousine et des dames riches viennent jusqu'ici pour acheter mes fleurs ; ils les trouvent bien jolies puisqu'ils s'en font des bouquets.

Sandale. — Elles le sont, neveu. Mais écoute.

Jardinier. — Quoi ?

Sandale. — Non. Je n'ose pas...

Jardinier. — Alors, ne dites rien et laissez-moi travailler.

Sandale. — Elles ne sont pas vivantes tes fleurs, neveu.

Jardinier. — Oui, elles le sont, oncle Sandale.

Sandale. — Je veux dire : elles n'ont pas de voix douce et des paroles dessus qui glissent comme le miel, et des grappes de cheveux, et des corolles chaudes comme des épaules et des bourgeons qui voient et un ruban sous le col.

Jardinier. — Existe-t-il de telles fleurs, oncle Sandale ?

Sandale. — Pour sûr. Je les ai vues.

Jardinier. — Vous ?

Sandale. — Moi.

Jardinier. — Où ?

Sandale. — Je ne devrais pas.

Jardinier. — Alors, ne dites rien.

Sandale. — Tu prends la route de sable et tu arrives à un endroit où est un champ avec d'immenses bidons d'huile qui sentent mauvais. Ce n'est pas là.

Jardinier. — Ensuite ?

Sandale. — Ensuite ? Tu montes dans une voiture bleue et jaune, tu t'assois après avoir donné un billet et tu guettes par la portière. Petit à petit, tu tournes le dos aux collines monotones et grises. Ce parfum est déjà loin derrière et tu es content. C'est un autre parfum qui t'arrive, mais celui-là, humain, salé, harcelant, presque visible, que tu peux caresser de la main, un parfum qui te va au fond du crâne.

Jardinier. — Ensuite ?

Sandale. — Ensuite tu vois des lumières qui viennent à toi, tu approches, tu approches, le moteur fait ron ron, des gens montent et descendent et le bruit grossit comme un torrent de montagne. Et alors...

Jardinier. — Alors ?

Sandale. — Alors tu es rendu au lieu où il n'y a pas de nuit.

Jardinier. — Pas de ténèbres ?

Sandale. — Non. Des milliers d'insectes colorés, qu'on appelle lumières, te sautent au visage, m'entends-tu ? C'est un aspect de fête avec l'odeur de friture au milieu. Tu es au carrefour des gares, des cinémas, des cafés et des boîtes à musique. Là, tu tires le cordon et tu descends de la voiture. Alors, tu t'appuies sur le crépuscule, tu épies et tu vois...

Jardinier. — Quoi ?

Sandale. — La parade des fleurs.

Jardinier. — Là ?

Sandale. — Là même. Il y en a d'inclinées comme des vierges, de nerveuses qui flirtent avec le moindre vent, de solitaires drapées dans d'éclatantes feuilles, de volages qui ne demandent qu'à être cueillies, de cruelles, l'épine sous un pli de velours.

Jardinier. — On peut les prendre ?

Sandale. — Et les respirer.

Jardinier. — Il y a des orchidées ?

Sandale. — Et des marguerites et des violettes et des jacinthes et des campanules.

Jardinier. — Qui marchent.

Sandale. — Tiges contre tiges. Leurs branches sont nouées comme des bras. Tu les dénoues. Elles se referment sur toi. Une chanson commence qui n'a pas de fin. Le fruit est là. Tu croques. La sève goûte l'amande, tu sens tes racines se mêler à leurs racines, tu t'endors. Et le pollen parfume tes lèvres.

Jardinier. — Vrai ?

Sandale. — Puisque je te le dis.

Jardinier. — Et si c'était faux ?

Sandale. — Je te le dis. Alors.

Jardinier. — Il y a tout ça ?

Sandale. — Et plus encore.

Jardinier. — Jamais je n'aurais pensé...

Sandale. — Voilà. Je n'aurais pas dû parler. Maintenant, tu rêves. La source ne devrait pas connaître la mer.

Jardinier. — Des fleurs qui parlent ?

Sandale. — Des fleurs à la peau plus douce que pêche, plus embaumée que lèvres de roses, et la sève qui fait mourir est au milieu.

Jardinier. — Tout ça ?

Sandale. — Au bout de la route que je t'ai indiquée.

Jardinier. — Alors, son Honneur, les fleurs de ma serre me parurent chiendent, orties, choses fanées à mauvaise odeur dont la banalité me désenchantait. J'en soulevais une dans ma main, je lui disais des phrases d'amour. Je la laissais retomber comme une morte. Alors j'ai pris la route de sable un soir et je suis venu jusqu'au champ d'huile. Une voiture bleue et jaune m'attendait, comme Sandale me l'avait dit. J'y suis monté et j'ai vu le mouvement qui grise et les lumières ; je suis descendu au carrefour du bruit, dans cet endroit où il n'y a pas de nuit et à l'écart, j'ai vu les fleurs qui marchent.

Juge. — Je comprends. Et maintenant ?

Jardinier. — Et maintenant que je les ai respirées, je m'ennuie des miennes, de celles qui sont dans ma serre et qui sont muettes et propres.

Juge. — Va-t'en. C'est tout.

Jardinier. — Alors, tout est bien évanoui comme un cauchemar ?

Juge. — Tout. Va-t'en. C'est fini.

———

Juge. — Ah ! Notre chemin en est un, bordé de fruits. Mais sous le fruit il y a la désillusion. Pauvres jeunes gens !... Midi, je vais dîner. Comme le soir est loin ! À quand le repos ? Qu'est-ce que c'est ? Qui êtes-vous ? Vous voulez me voir ?

Sandale. — Monsieur le juge, je voudrais vous parler un moment.

Juge. — Mais je ne vous entends pas marcher, monsieur !

Sandale. — Je suis comme je suis.

Juge. — Mais vous n'avez pas le droit de pénétrer ici, monsieur. Huissier !

Sandale. — Je passe à travers les murs, votre Honneur. Je voudrais vous parler d'une chose qui vous tient à cœur depuis quinze ans. Quinze ans, c'est beaucoup de temps.

Juge. — Qui me tient à cœur à moi ? Quoi donc ?

Sandale. — Je sais un transatlantique qui part samedi pour les Indes.

Juge. — Vraiment ?

Sandale. — Un transatlantique sur des flots larges comme les nuages ; vous auriez une cabine à hublot, le deuxième pont pour faire la promenade et la petite table à déjeuner dans la fenêtre où bascule le jour ; pas de téléphone, plus de causes, plus de verdicts, plus de paperasses, plus de discussions... Je venais vous dire que les Indes sont toujours là, et le transatlantique qui s'y rend... au quai numéro sept. Votre Honneur, n'êtes-vous pas fatigué ?

Juge. — Tu t'appelles Sandale ?

Sandale. — Mais oui. On a le nom qu'on a.

Juge. — Sandale ! Et s'il n'existait pas ton transatlantique ?

Sandale. — Justement, il existe. Donc, je vous attends au restaurant ? On dîne ensemble ? Soyez en paix votre Honneur, personne ne nous verra. Vous savez bien que je ne suis jamais vu avec quelqu'un ! Mais hâtons-nous, il y a un autre type dont je voudrais bien aussi empoisonner l'existence.

Juge. — Qui ?

Sandale. — Un homme qui ne foute rien parce qu'il est heureux, alors...

Juge. — Va le premier. Je te suis.

HISTOIRE DE CINQ PETITS LAPINS

Lapine. — Tournez les oreilles de mon côté. Je commence. Si vous êtes sages, nous finirons tôt.

Ainsi parlait chaque matin en ouvrant son grand livre, l'institutrice d'une délicieuse école.

C'était une maman dévouée, une grosse lapine, excellente ménagère, garde-malade, épouse, qui chaque matin de soleil faisait l'école en plein air sur la prairie, à cinq petits lapins, ses enfants, assis sagement dans le trèfle, crayon dans les griffes.

Si vous l'aviez vue debout à son pupitre, son poing blanc sur la hanche comme font les institutrices, l'oreille droite, le geste sûr, la voix forte, penchant la tête, posant des problèmes, expliquant des leçons et attendant patiemment les réponses. Elle enseignait à ses élèves (qui hélas ne lui rendaient pas toujours son dévouement) des choses de la vie, afin que se continue noblement le métier de lapin. Cinq petits lapins roses qui se grattent la cervelle, réfléchissent, improvisent et recommencent, est-il au monde spectacle plus charmant !

Ah ! Et la ferme et la prairie et le ciel et tout ce qui faisait partie de ce domaine, s'enorgueillissait avec raison du lycée dans leur canton.

À l'heure où le train des villes passait là-bas dans
la forêt, la classe ouvrait sur les matins féeriques.
Un petit mulot des sables, caché dans la luzerne,
venait souvent suivre le cours à la cachette, parce que
chez lui c'était toujours les vacances et il aurait bien
voulu s'instruire. Une vilaine corneille, tapageuse et
folle, ricanait de loin et faisait des grimaces pour dis-
traire les élèves. Plusieurs abeilles, immobiles sur des
cœurs de trèfle, rêvaient d'être savantes, et des feuilles à la dérive s'en allaient, en pleurant leur vie
manquée.

Donc, la classe commençait sur le gazon parfumé.

Lapine. — Rondudu.

Rondudu. — Présent.

Lapine. — Trotte-Pesant.

Trotte-Pesant. — Présent.

Lapine. — Myope.

Myope. — Présent.

Lapine. — Nez-en-l'air. Nez-en-l'air.

Nez-en-l'air. — Pardon, j'étais distrait. Présent.

Lapine. — Oreille-Déchirée.

Oreille-Déchirée. — Je suis là.

Rondudu, c'était le plus beau des cinq, le plus
soyeux, le plus léché. Vraiment aussi, il avait de quoi
être fier de son apparence. Bien fait, oreilles mobiles
qui déchiffrent les moindres sons, fale immaculée,
ongles des pattes polies chaque soir, nez retroussé,
il avait l'air d'un jeune seigneur, mais un seigneur,
qui tout jeune qu'il était, donnait des inquiétudes à
sa pauvre maman.

Lapine. — Rondudu, pourquoi les chats portent-ils
des moustaches ?

Rondudu. — Je ne veux pas répondre maman. Ça me déplaît.

Lapine. — Mais, je vais te punir ?

Rondudu. — Ça m'est égal.

Lapine. — Rondudu, que tiens-tu dans tes pattes ?

Rondudu. — Une abeille, maman.

Lapine. — Malheureux, tu vas lui faire mal ?

Rondudu. — Elle est morte, maman.

Lapine. — Qui l'a tuée ?

Rondudu. — Moi, maman.

Un garçon aux belles allures, qui si jeune, est cruel, cela inquiète les mamans comme je vous dis et fait frissonner de peur les jeunes filles. Le beau Rondudu était cruel.

Trotte-Pesant était le deuxième. Par son nom, vous devinez quel était son genre ? Le paresseux, le gras, le bourgeois, celui qui prend ses aises, qui mange bien et dort bien, qui fait juste assez d'exercice pour ne pas prendre de l'embonpoint, mais jamais assez pour se fatiguer. Il bâillait à longueur de cours, arrivait en retard (quand il venait). Rien ne le pâmait jamais. Il n'avait d'enthousiasme que pour les jeux et les bons mets. En pleine dictée, il fermait les yeux et rêvait aux laitues, aux salades, aux cœurs de choux tendres et juteux. Il avait toujours ses poches bourrées d'oseille ou de feuilles de thé. Peut-être l'avez-vous remarqué ? Les paresseux sont souvent des gourmands. Étudiait-il ? Pas beaucoup. Alors, arrivé aux examens mensuels, vous devinez tout de suite, n'est-ce pas ?...

Lapine. — Trotte-Pesant.

Trotte-Pesant. — ...

Lapine. — Allons, debout !

Trotte-Pesant. — Oui maman.

Lapine. — Vide ta bouche.

Trotte-Pesant. — Oui maman.

Lapine. — Je n'ai pas trouvé ta version parmi celles de tes frères ?

Trotte-Pesant. — J'ai les griffes épointées ces jours-ci. Et je digère mal.

Lapine. — Tu manges trop de miel, peut-être ?

Trotte-Pesant. — Si j'aime ça, maman.

Lapine. — Mais ça grise le miel des lis... fais attention petit.

Trotte-Pesant. — Bon.

Lapine. — Reste debout.

Trotte-Pesant. — Oui maman.

Lapine. — Table de mathématiques. Cinq plus sept, combien cela fait-il ?

Trotte-Pesant. — Dix.

Lapine. — Cinq plus cinq

Trotte-Pesant. — Dix aussi.

Lapine. — Les deux mènent au même résultat ?

Trotte-Pesant. — J'ai bien peur.

Lapine. — Assieds-toi. Moi je te foute zéro sur un papier !

Comme vous voyez, il n'étudiait pas souvent. Cinq plus sept, dix ! Non voyons ! Trotte-Pesant, sensible au fond, sentait le cœur lui faire mal. Il prenait des résolutions. Cela l'humiliait de répondre à côté, alors il se promettait de bûcher. Mais on devrait défendre aux paresseux de faire des promesses. N'importe. Passons au troisième.

On l'appelait le Myope, un sobriquet, parce qu'il
avait la vue courte et aurait bien voulu porter des
lunettes, mais chez les lapins ça ne se fait pas. Il
avait les yeux rouges, ce petit, et il toussait une petite
toux qu'il réprimait tout de suite. C'était le plus timide, le plus maigre et le plus laid de la classe mais je
m'empresse d'ajouter qu'il était le plus brillant. Quel
dommage qu'il eut une faible santé, parce que pour
être intelligent, il l'était. Écoutez plutôt.

Lapine. — Myope, c'est à toi.

Myope. —Oui maman.

Lapine. — Pourquoi les chats portent-ils des moustaches ?

Myope. — Voilà maman : la longueur des moustaches équivaut à la largeur de l'animal qui les
porte ; les moustaches servent donc de mesure dans
les passages étroits. Si les moustaches passent sans
frotter les bords, le reste passera.

Lapine. — Dix sur dix. Tu as compris Rondudu ?
Les moustaches ? La largeur du corps ?

C'est bien répondu n'est-ce pas ? Il fallait le savoir. Et Myope savait beaucoup de choses intéres-
santes. C'était un vif-argent, un curieux, un dévoué
qui s'oubliait pour rendre service. C'est lui, les same-
dis, qui faisait le ménage de la cage, à quatre pattes
s'il vous plaît. C'était un bon enfant. Combien de
fois n'avait-il pas sauvé ses frères de la mort en leur
interdisant de manger des plantes empoisonnées. Tel
animal était-il à craindre ou à fréquenter ? Myope
faisait enquête et on suivait ses recommandations.
Et sur combien de choses ne le consultait-on pas !
La mère Lapine ne le disait jamais tout haut, mais

parfois le soir à la veillée sous la corde à linge, elle
répétait à la chatte, sa voisine, la réponse intelligente
que lui avait faite le Myope durant le cours. Il arrivait parfois que Rondudu le battait en cachette. Mais
Myope se laissait battre et ne disait rien.

Au tour du quatrième petit lapin.

Lapine. — Nez-en-l'air. Nez-en-l'air.

Nez-en-l'air. — Pardon, j'étais distrait. Pardon.

Inévitablement, c'était la réponse du quatrième
petit lapin. Dehors ou dans la maison, le matin ou
le soir, posait-on une question à Nez-en-l'air le quatrième, il répondait : « Pardon, je suis distrait » et
faisait toujours répéter son interlocuteur, que ce fut
sa mère ou ses frères, ou monsieur l'inspecteur, un
gros matou de lapin noir qui venait annuellement.
Lui, c'était l'artiste, l'insouciant qui faisait sa toilette
quand il y pensait et rêvait aux étoiles. Pattes sales,
habit froissé... un clair de lune le faisait mourir. Il
se pâmait aux chants des oiseaux. Un malheureux
quoi... qui avait toujours envie de pleurer ! Sa grande
distraction en avait fait le bouffon de la classe. Il
tombait dans tous les panneaux qu'on lui tendait.
C'était un naïf. Il croyait tout. Il croyait tout le
monde bon. De là venait son malheur. Mais la vie
qu'il voyait à travers ses cils pleins de larmes... comme il l'aimait quand même !

Lapine. — Nez-en-l'air, mouche ton nez. Pourquoi
un siège derrière une faucheuse ? Non non, réfléchis.
Et je répète la question pour t'éviter de m'envoyer
une bourde. Pourquoi un siège derrière une faucheuse ?

Nez-en-l'air. — C'est pour que le maître puisse

voir son champ de haut, et ainsi devant l'étendue des terres... se donner du courage.

C'est une réponse de sensible, une réponse peu pratique, une réponse de poète. Pauvre lui !

Nous verrons tout à l'heure à la deuxième étape de sa vie, si Nez-en-l'air aura mis du plomb dans ses réponses et dans ses agissements. Ajoutons pour la véracité de ce récit qu'il était spirituel, excellent camarade, bon perdant, intelligent quoi, mais toujours prêt à pleurer.

Venons-en au dernier élève : Oreille-Déchirée.

C'était le silencieux, le musclé, le muet. Celui à bonne santé, qui rêvait de voyages et de dangers. Le mystérieux de la famille qui se faisait déchiffrer des traces dans le sable par Myope, qui fabriquait des tablettes pour sauter et qui reniflait souvent en direction de la montagne.

Lapine. — À quoi penses-tu Oreille-Déchirée ?

(Ce nom lui fut donné après qu'il se fut déchiré l'oreille, étant tout petit, de retour d'un pique-nique au ruisseau.)

À quoi penses-tu Oreille-Déchirée ?

Oreille-Déchirée. — À des choses.

Lapine. — Dis-les ?

Oreille-Déchirée. — Vous ne comprendriez pas.

Lapine. — Le bonheur n'est pas si loin de nous, mon enfant.

Il ne répondait plus. Il se refermait dans son mutisme et on le respectait parce qu'il était le plus fort. Drôle de garçon qu'Oreille-Déchirée. Un soir, il avait mis sa patte sur le dos de Rondudu et farouchement lui avait dit :

Oreille-Déchirée. —Écoute-moi bien : Si je te vois encore frapper Myope, moi je te battrai.

Et Rondudu avait courbé l'échine, sans rire.

Donc, il était cinq petits lapins, lapinant, broutant, bien élevés, courant dans le trèfle, ayant une mère, un chef-d'œuvre de mère qui se faisait du souci pour enjoliver leur existence et qui surtout aiguisait leurs armes pour ce demain inévitable où tous les lapins entrent un jour ou l'autre. Elle savait que le lapin sans instruction, sans défenses, sans lois, se fait happer bêtement au premier détour du chemin. Quand je vous disais que c'était une maman dévouée, vous voyez bien !

Rencontrons la petite famille au cours secondaire. Disons qu'ils ont vieilli. Leur bagage ne consiste plus en un premier livre et un cahier de dessin et en des questions faciles comme : « Pourquoi une clochette au cou des chèvres » ou « nommez vos cousins des savanes ». Oh non ! Ils ont évolué, chacun à sa façon. Surprenons-les par ce midi d'automne.

Lapine. — Prenez vos livres de botanique.

Tous. — Oui maman.

Lapine. — Prenez vos livres de latin.

Et le latin, quelle science !

Lapine. — Un peu de géographie maintenant.

Oreille-Déchirée. — Dis-moi maman, l'autre côté de ce ruisseau sur notre carte, qu'est-ce qu'il y a ?

Lapine. — Des champs mon fils, comme les nôtres.

Oreille-Déchirée. — Au bout ?

Lapine. — Au bout ? Mais...

Oreille-Déchirée. — La montagne ?

Lapine. — Oui.

Oreille-Déchirée. — Merci maman.

Et on faisait de la géographie, de l'histoire, de la botanique et des mathématiques.

Lapine. — Qui va me traduire Ave César ?

Pour traduire Ave César, il faut être savant. Et les petits essayaient de traduire Ave César.

Lapine. — Mettez en grec le mot « soi-même ».

Voilà ce qui est plus difficile encore. Quelle joie que le difficile ! Et on travaillait, et on réfléchissait et on pesait les réponses. Trotte-Pesant copiait ses devoirs sur ceux de Myope. Nez-en-l'air écrivait des petits poèmes sur les bestioles et Rondudu lui, racontait des mensonges aux papillons. N'importe ! Quelle merveille de les voir tous les cinq en pleine classe ! La mère Lapine ne leur faisait pas apprendre du grec et du latin et des chiffres et des dates pour passer le temps, pour leur bourrer la tête, ou pour les occuper à quelque chose. Non. Elle savait bien que plus tard, aucun de ses fils ne parlerait grec ou latin ou chiffre ou figure, mais elle éveillait leurs facultés, labourait, arrosait, nettoyait ce petit carré de terre meuble qui s'appelle : le cerveau, et d'où la récolte plus tard. À la sortie des cours, on pouvait entendre des réflexions comme celles-ci :

Myope. — Soi-même en grec se traduit par auto.

Trotte-Pesant. — Auto ? Vraiment ?

Myope. — Prenons automobile. Auto : soi-même, mobile : qui se meut, automobile : qui se meut soi-même.

Rondudu. — Alors, tu parles grec ?

Myope. — Eh oui, je parle grec.

Nez-en-l'air. — Comme j'aurais voulu vivre au

temps des petits lapins grecs ! entendre les maîtres chanter la vie ! Ils m'auraient sûrement appris à faire de la musique avec des mots ! Ah ! J'en pleure !

Oreille-Déchirée. — Il ne faut pas pleurer, Nez-en-l'air. Si tu n'es pas heureux ici, va-t'en.

La façon dont Oreille-Déchirée disait cela, faisait passer de grands frissons sur les flancs du sensible Nez-en-l'air. Or, les petits lapins grandirent de corps et d'esprit. Rondudu était vraiment le plus beau des lapins. Déjà, il avait brisé plusieurs cœurs de lapines, mais ça ne lui faisait rien. C'est ce sourire qu'il avait toujours et ce calme devant les choses laides.

Trotte-Pesant devint gras et lourd. Il avait des cachettes de provisions sous la cabane, dans le grenier, partout. Quand il était question de pique-nique, il était le premier en avant et s'offrait invariablement à porter le panier de nourriture. La toux de Myope augmenta. Pour lui donner de l'appétit, sa mère lui faisait prendre du sirop de miel. Son corps était long et maigre.

Lapine. — Tu tousses toujours Myope ?

Myope. — Mais non maman.

Lapine. — Qu'est-ce qu'on va faire avec toi ?

Myope. — Mais rien, voyons !

Lapine. — On va faire venir le médecin ?

Myope. — Mais non, voyons !

Et Myope souriait, un sourire de petit malade, pour montrer à sa mère qu'il était bien.

Maintenant la maman Lapine était obligée de travailler le soir pour préparer ses cours, parce qu'ils étaient plus avancés. Savoir lire et écrire c'est bien. Mais savoir trier dans tout cela, voilà le difficile. Et

elle essayait de leur apprendre à trier dans toute
cette montagne du savoir. « Vous savez trier parmi
les plantes, » leur disait-elle, « vous voilà à l'âge où
il faut trier parmi les œuvres, car il y en a d'empoisonnées, vraiment. » Rondudu ne croyait pas cela.
Il faisait de la peine à sa mère parce qu'il la forçait
à lui donner des punitions.

Lapine. — Tu te moques de l'autorité, Rondudu.

Rondudu. — Mais si je suis l'autorité, maman.

Lapine. — Voilà que tu raisonnes à présent. Que
tiens-tu encore entre tes pattes ?

Rondudu. — Un oiseau, maman.

Lapine. — Mort ?

Rondudu. — Oui maman.

Lapine. — Cruel !

Rondudu. — Punissez-moi maman.

Et la mère en pleurant le punissait. Lui se laissait
punir sans aucune émotion. Il était dur le beau Rondudu. Leur caractère prenait forme. Déjà on pouvait deviner les adultes qu'ils seraient plus tard.

Un soir, il y eut une bagarre entre Trotte-Pesant
et Oreille-Déchirée. Ils se battirent. Sur les fleurs
qui embaument, il y avait du sang, et Rondudu était
derrière qui léchait le sang de ses frères.

Lapine. — Pourquoi vous êtes-vous battus, hier ?
C'est ignoble !

Trotte-Pesant. — C'est lui, maman, qui a commencé. Il m'a dit que je le dégoûtais parce que je
mangeais trop.

Lapine. — Est-ce vrai Oreille-Déchirée ?

Ce dernier ne répondait pas. Il restait muet com-

me d'habitude. La maman Lapine était bien décou-
ragée parfois. Elle ne savait rien d'Oreille-Déchirée.

Lapine. — Me quitterais-tu, petit ?

Il ne répondait pas.

De Nez-en-l'air, on en savait trop. Il confiait ses
moindres soucis à chacun. Il fatiguait tout le monde
avec ses rêves et ses idées de poésie. Il allait même
raconter ses projets au chien de la ferme, qui par
bonheur le laissait verbiller. Il se voyait riche, il se
voyait pauvre, glorieux, il se voyait le vent ou le
soleil... le mur de sa chambre était couvert d'inscrip-
tions qu'il avait écrites avec ses griffes. Seul, le Myope restait le lapin qui ne se moquait pas de Nez-en-
l'air.

Myope. — Laisse dire, mon petit. Écris. Chante.
De tout cela sortira quelque chose.

À ces paroles de son frère, Nez-en-l'air se mettait
à pleurer de bonheur.

Heureusement qu'il y avait le Myope dans la famille. Ah ! Le petit malade ! Rien ne lui plaisait
comme rendre service, donner un renseignement pré-
cis. Jamais il ne parlait à tort et à travers, ce qui
s'appelle chez les grenouilles : barboter. Mais il
fouillait, rédigeait son petit cahier de notes person-
nelles, ses observations sur le corps et le cœur humain. Il faisait de ces constatations qui épataient
bien ses frères :

Myope. — Mes frères, vous voyez le bœuf et le
coq. Lequel craignez-vous le plus ?

Rondudu. — Moi, aucun.

Trotte-Pesant. — Le coq, grands dieux ! Il crie si

fort et porte si haut la tête et picore si violemment, j'en ai peur comme d'un renard !

Myope. — Tu te trompes Trotte-Pesant, il n'est pas dangereux.

Trotte-Pesant. — Prouve-le.

Pour illustrer son exemple, le Myope bondit sur le coq en tapant des talons. Le coq partit à la course, les ailes basses, la crête pendante en faisant : « Qu'est-ce que c'est, qu'est-ce que c'est ? »

Myope. — Voyez ? C'est un criard. Ceux qui crient ne sont pas dangereux. Mais l'autre, le bœuf, ceux qui ruminent, ceux qui regardent où ils posent chaque pas, ceux qui ne se mettent jamais en colère, ceux-là sont forts. S'ils sont paisibles, c'est précisément parce qu'ils sont forts. Celui qui n'a pas de force ne cesse de s'agiter et de remuer.

Disant cela, il regardait à la dérobée son frère Rondudu le méchant.

Un soir, à l'écart, il lui demanda :

Myope. — Qu'est-ce que tu as Rondudu ?

Rondudu. — Rien.

Pauvre Myope ! En toussant il regagnait le grenier de la cabane et sur de vieux bouquins se lançait dans l'étude pour oublier le chagrin que lui faisait son frère et pour apprendre le remède à tout cela : la sagesse.

Lapine. — Nez-en-l'air, que feras-tu plus tard ?

Nez-en-l'air. — Un musicien maman, ou un astrologue, ou un magicien, ou...

Rondudu. — Un fou quoi !

Nez-en-l'air. — Peut-être. Mais un fou qui respectera les oiseaux !

Les soirs de congé, Nez-en-l'air revenait des champs, les ongles cassés, la barbe sale et la fourrure maculée de boue. Il se déchirait les oreilles sur les objets piquants, marchait sur trois pattes le plus souvent, attrapait l'herbe à puce ou la fièvre des foins. Il faillit même mourir du bois d'enfer !

Lapine. — Quel est le nom du concerto qu'ont joué les grenouilles, hier soir, au marais ? À toi de répondre Nez-en-l'air.

Nez-en-l'air. — Pardon, je suis distrait. Répétez maman.

Lapine. — Je te demande quel est le nom du concerto que les grenouilles ont joué hier dans le marais ?

Nez-en-l'air. — Hier ? Maman, tu fais erreur, le concert c'est ce soir. J'ai mon billet dans ma poche. Je l'attends depuis deux semaines cette soirée.

Les autres. — C'était hier.

Nez-en-l'air. — Malheur de malheur ! De malheur ! Je manque tout. Je me prends les pieds dans les portes. J'ai failli m'empoisonner deux fois, je me suis égaré dix fois en prairie, maman, qu'est-ce qui va m'arriver ?

Lapine. — Tant que je serai là, tu peux dire maman, Nez-en-l'air.

Nez-en-l'air. — Que voulez-vous dire ?

Lapine. — Un jour... un jour...

Nez-en-l'air se rassombrissait à la pensée qu'un jour il serait seul pour se débrouiller. Il était loin de savoir que la route est semée de pièges et d'artifices et de trompeurs et de filous. Alors il prenait

la résolution de bien voir où ses pas le conduiraient.
Mais attendons la fin.

Maintenant, il faut que je vous parle du premier
chagrin de la famille. Du premier vrai chagrin. Ce
fut Oreille-Déchirée qui le causa. À une tombée
de jour, il appela Myope dans un coin et lui dit :

Oreille-déchirée. — Myope, je m'en vais.

Myope. — Où ?

Oreille-Déchirée. — Là-bas.

Myope. — Quand ?

Oreille-Déchirée. — Cette nuit. Tu diras merci à
maman.

Myope. — Reste, je t'en supplie.

Oreille-Déchirée. — Non. Adieu.

Rondudu était derrière qui déchirait une tulipe
et il s'est réjoui du départ de son frère. Quand le
soir fut tombé tout à fait, Oreille-Déchirée prit le
large et disparut. Sans bruit, sans adieu, sans bagage. Comme un aventurier qui fait sa vie seul et
part sans l'annoncer.

La mère pleura longtemps en regardant la loin-
taine montagne.

Myope. — Si vous voulez, je peux essayer de le
ramener ?

Lapine. — Non, laisse-le. Il sera peut-être plus
heureux comme ça, chez les lièvres.

Nez-en-l'air. — Les loups vont le manger, maman.

Myope. — Laisse, Nez-en-l'air. Il va se débrouiller.

Lapine. — Je n'ai plus que quatre élèves maintenant...

Les leçons reprirent, mais l'enthousiasme avait baissé. Le mulot des sables qui suivait les cours à la cachette, trouvait cela bien triste.

Puis, vinrent les vacances de Pâques.

Puis, vinrent les grandes vacances. Finis les cours et les dictées et les théorèmes et les études ! Ils étaient libres ! Un soir, puisqu'il faut bien vous le dire, leur maman mourut. Voilà une épreuve plus difficile à passer que le grec et le latin. Voilà un mal de tête plus terrible qu'un chapitre de physique. Ils pleurèrent tous, excepté Rondudu.

Le lendemain, le Myope, tremblant, craintif, saisi dans l'âme, leur dit :

Myope. — Mes frères, aujourd'hui nous ne sommes plus des enfants. Quand le malheur frappera à la porte maintenant, un de nous ira répondre. Maman n'est plus là pour recevoir les mauvaises nouvelles au guichet.

Ils s'embrassèrent et restèrent un dernier petit moment, blottis l'un contre l'autre, comme quand ils étaient enfants. Puis ils se séparèrent et commença la vraie aventure.

Rondudu se maria immédiatement, divorça au bout de deux jours, se remaria et fit scandale en menaçant de tuer le père de sa deuxième femme. Il parlait souvent de tuer. On l'avait à l'œil. Il eut des démêlés avec la justice du canton au sujet d'une autre femme. C'est Myope qui le sortit de l'impasse. Un chat du voisinage avait juré sa perte, (encore question de chatte là-dedans).

Myope. — Tu devrais rester tranquille Rondudu. Tout cela finira mal.

Rondudu. — Je ne t'ai rien demandé mon frère.

Trotte-Pesant fut le troisième à disparaître. Mais lui, c'est le maître de la maison qui un beau matin est venu l'enlever par les oreilles en disant : « Oh ! Comme il est lourd ! Quel bon civet pour la fête !

Les autres lapins n'eurent pas de peine. Trotte-Pesant était fait pour finir dans la marmite, ce qui n'est pas déchoir quand on est un lapin. On l'oublia rapidement. D'ailleurs, paraît qu'on l'avait saigné sans douleur et qu'on l'avait mangé à l'occasion d'une fête. C'était une mort digne de lui.

Restèrent Myope et Nez-en-l'air qui furent deux grands amis. Jamais Rondudu ne se mêlait à eux.

Myope. — Je sens que je vivrai pas vieux, Nez-en-l'air.

Nez-en-l'air. — Pourquoi tu dis ça ?

Myope. — J'ai quelque chose au poumon. Vois comme je suis maigre.

Nez-en-l'air. — Si on partait tous les deux, vers des pays plus doux ? Tu te reposerais ?

Myope. — Non. Ça ne vaut pas la peine.

Sa fin était proche et Myope le savait. Il rédigea son testament, demanda pardon à Rondudu du mal qu'il avait pu lui faire, et s'éteignit doucement un soir d'avril, dans les bras de son frère. Nez-en-l'air faillit y passer aussi. Ah ! Vous raconter les nuits abominables qui suivirent la mort de Myope ! Il voulait s'assommer le pauvre Nez-en-l'air. Il maudissait tout dans sa douleur ! Il se croyait devenu fou ! C'est une sage petite lapine du pays qui arriva à temps pour le sauver du désespoir. Elle le ma-

ria. Nez-en-l'air se sentant entouré d'affection et
d'amour et de compréhension se décida de vivre
encore un bout. Il cessa de rêvasser. Devant les
malheurs des autres il se souvint des paroles de
Myope et résolut d'aider. Il mit à exécution des
projets qu'avait légués Myope dans son testament.
Il fréquenta la compagnie des vieillards et devint le
sage du canton. À l'unanimité on l'élut chef de la
lapinerie. L'hiver, c'est lui qui faisait le partage des
vivres et l'été c'est lui qui s'occupait de l'instruction des lapins. Il a donné au lycée le nom de sa
mère et aujourd'hui encore on peut voir des lapins
venir de très loin, fréquenter ce collège. Il encou-
ragea la musique, les arts, le théâtre et les œuvres
qu'il a senties bouger dedans lui, il veut que d'autres, plus fortunés, les écrivent. C'est un brave cœur
que Nez-en-l'air.

Vais-je vous dire ce qu'il advint de Rondudu ?

Il a été trouvé mort, un matin d'automne, assassiné, au bord d'un fossé par un renard ou par un
aigle. On ne l'a pas mangé. On l'a juste assassiné
comme ça par vengeance ou par dégoût. Mais le
petit mulot des sables, témoin du meurtre, affirme
que dans son agonie, Rondudu, pendant qu'il per-
dait son sang, a crié par deux fois : « Maman, maman ! » C'est toujours ça. Espérons que c'est vrai.
Le pauvre Rondudu buvait trop aussi. Ses scanda-
les étaient connus. Sa cruauté révoltait le pays. Il
devait finir ainsi. Dans le sang. Espérons qu'il a
crié le nom de sa mère en mourant, comme l'affirme le mulot des sables...

Quant au dernier, Oreille-Déchirée, on ne l'a jamais revu. Il a dû changer de nom, de poil, de pays, de langue. Sa mère l'avait prédit qu'il ferait un aventurier. Il doit être avec les lièvres des lointaines savanes. Grand bien lui fasse !

L'histoire des cinq lapins est finie. Grand bien vous fasse à vous également !

LA NICHÉE

Homme. — Ça s'est donc passé comme ça. Un soir, je dis à ma femme : Femme, je sais où il y « en » a toute une nichée.

Femme. — Une nichée de quoi ?

Homme. — Une nichée de... tu sais quoi. (Elle a fait signe qu'elle savait.) Femme, puisque tu peux pas, toi, en avoir.

Femme. — Non. Je peux pas.

Homme. — Donc, je vais y aller. Demain je vais y aller, avant qu'on soit trop vieux.

Femme. — Demain ?

Homme. — Demain. Le jour qui vient. Le premier. Le suivant d'aujourd'hui. Tantôt, à la lumière, je pars.

Femme. — Bon. Où, ta nichée ?

Homme. — Dans ce village de maisons branlantes, de ruelles malades, où les fleurs ne poussent pas, où les chiens vagabonds renversent les poubelles.

Femme. — Le petit Canada ?

Homme. — Oui.

Femme. — Bon. Demain tu iras. Et, combien ils sont ?

Homme. — Beaucoup. Plus qu'on peut en mettre dans un grand panier à linge, plus qu'une brassée, plus qu'une « talle ». Huit qu'ils sont. Regarde mes doigts en l'air, tous en l'air, j'en abaisse deux. Huit.

Femme. — C'est beaucoup.

Homme. — C'est ce qu'il faut. Je vais boire un coup de matin comme trois gouttes de rosée sur une feuille de rhubarbe. C'est tout ce que j'ai besoin. Après, je continuerai.

Donc, nous voilà au matin. J'attelle. Un coup de chapeau à ma femme en observation à la fenêtre, et je pars. Par la belle route du fleuve, un matin de printemps mouillé, tendre, ni chaud ni froid. Je m'en allais heureux, comptant jusqu'à huit, regardant mon cheval, mon boggey, mes mains. Ma vie changerait. À commencer de ce matin-là, on briserait le silence. Huit. C'est plus qu'il n'en faut pour coupailler n'importe quelle monotonie, pour percer n'importe quel mur d'ennui.

Marche donc !

Le printemps plein mes habits, je m'en allais.

Whoo. J'étais arrivé. Whoo. Trois, m'ont vu arrêter le cheval en face de leur taudis. J'ai mis la pesée au mors du cheval. J'ai monté les marches infirmes. Tranquillement je me suis approché. J'ai dit aux trois : Salut. Ils m'ont regardé. Salut, plus doucement pour ne pas les effaroucher, je l'ai dit. Ils m'ont ouvert la porte. Un s'est pendu à mes mains. Trois autres étaient là. Six. Deux autres dans des berceaux, (je dis berceaux, c'est pas vrai : dans des boîtes). Ça faisait huit. Le compte était complet. C'était ça.

Salut, que j'ai dit à tous. Celui qui était pendu à mes doigts m'a serré plus fort, sans parler.

Ton nom, toi, j'ai dit. De joie, il s'est roulé à terre entre des cuves sales, toujours sans parler.

Habillez-vous tous, toutes ! Ramassez vos guenilles ! Je suis venu vous chercher.

Le plus vieux, blond en crinière, bleu de regard a pris la parole... pour les sept autres.

— Quoi monsieur ?

— L'homme qui devait venir vous chercher, c'est moi.

— C'est vous ?

— C'est moi.

Je lui ai donné le temps de me dévisager comme il faut.

— Où on va monsieur ?

— Où ? Dans un paradis. Un paradis pauvre mais libre. Sur ma terre que vous venez. Dans l'herbe. Dans le bonheur. Venez. Habille les plus petits, tête blonde.

Il n'a pas bougé.

— Écoute, je suis pas un voleur, que je lui ai dit en me penchant.

— Approche, bats-moi, frappe-moi, regarde le fond de mon œil. Je viens vous chercher, tous, toutes, je vous sors de la misère, de la peur, du froid.

Personne bougeait.

J'ai sorti le gros argument :

— L'homme qui vous aime, c'est moi.

À cette parole-là, tous, moins les deux dans les berceaux, sont venus se pendre à mes doigts. Six qu'ils étaient. Seulement dix doigts que j'ai et j'en

avais assez... Six branches greffées à mon vieux
tronc. Six branches vertes, claires, neuves, qui de-
mandaient rien qu'un petit peu de brise le long de
leur jeune vie.

— Chez nous, c'est une grande maison, vous
savez. Habillez-vous. Vous avez pas peur de moi ?

Le blond petit bonhomme m'a touché l'épaule
comme un soldat à un autre soldat, comme un
homme à un autre homme. Il a souri.

— On vient, il a dit.

Vers ses petits frères et petites sœurs, qui le re-
gardaient peureusement, il s'est tourné pour dire :

— Monsieur nous amène dans l'herbe. Habillons-
nous.

Ils se sont habillés dans un brouhaha comique,
épouvantablement bruyant, tous, moins les deux
qu'il a fallu aider. Huit en tout qu'ils étaient. Huit
petits dans le beau printemps, si petits... mais j'étais
grand moi, habitué à la rencontre des monstres... et
je leur montrerais moi, comment on affronte la bête
qui s'appelle : marche et vis !

Je suis revenu du petit Canada avec ma nichée.
Huit. Neuf avec moi dans le boggey.

— Marche donc ! Le vieux cheval tirait en nous
jetant un œil curieux dans les détours. Des blonds,
des noirs, des masculins, des féminins, des petits
nez retroussés, des gazouillements, des cris. Des
promesses, des germes, des graines d'hommes et de
femmes.

— Marche donc !

Le printemps, grand ouvert, nous ouvrait passage.
En les voyant, ma femme a dit :

— Ah ! Comme ils sont sales !

Puis elle a rajouté aussi vite :

— Ah ! Comme ils sont beaux !

Huit vies étaient entrées chez nous, tout d'un coup. Comme un pêcheur qui a lancé un bon coup de filet rentre à la maison courbé sous une provision de joie, sur le plancher de la cuisine, j'ai déposé ma cargaison de joie.

Notre vie a changé. Les heures du matin, du midi, du soir. Tout a changé : la salle, les chambres, le salon, tout. Les alentours même. À partir de ce moment, la maison a connu une poussée de fraîcheur, comme si ses fenêtres donnaient sur le paradis. On marchait dans le bonheur comme quand on marche dans le jeune trèfle un matin de juin. Parce qu'on était heureux ma femme et moi.

Femme. — Mais c'était beaucoup d'ouvrage.

Homme. — Oui, mais on était heureux.

Femme. — Oui.

Homme. — Parce qu'on était heureux, des gens se sont mis à parler, comme si notre bonheur les éclaboussait. Il y en a qui disaient de moi : « c'est un fou, se charger de huit enfants, il est trop pauvre, les enfants vont mourir de faim. Les autorités devraient y voir. » Parce que j'étais heureux. Ça avait du bon sens que je les élève puisque je les ai élevés. C'est-à-dire, on a essayé. Les gens parlaient. Les mioches poussaient. On était heureux.

On en a perdu comme de raison, pas par notre faute, mais par la faute de la partance. Deux, qu'on a pas pu réchapper, à cause de cette toux qu'ils avaient, de souffles pas corrects, inégaux, coupés,

brouillés par la naissance. Les voisins ont dit de
ma femme : « c'est une folle, elle sait pas comment
en avoir soin, n'en ayant jamais eus. Elle devrait
porter les six autres aux autorités. Qu'est-ce qu'ils
n'ont pas dit ? Qu'est-ce qui ne se dit pas dans les
campagnes. N'importe. Les six autres, on les a ré-
chappés.

───────

Suis. Aide-moi. C'est ça. Prends la bêche de la
main droite, plie l'épaule. Poc ! Un coup comme
ça. Poc ! Un autre coup. Tourne les mottes. Tourne. Viens. Approche. Je me baissais, puis au plus
vieux à qui j'enseignais la terre, je disais en ramas-
sant une motte : regarde. Dans ça pousse le pain,
le pain...

Comme on prend la main d'un petit pour lui
montrer l'écriture, je prenais la main du plus vieux
pour lui montrer la culture. Écrire, j'aurais pas pu
le lui enseigner, parce que je le sais pas (j'ai pas
eu c'te chance). Mais la terre, je savais, quoique les
voisins disent que j'ai jamais été un habitant. Il apprenait le petit, avidement, bellement. Déjà, il s'é-
pongeait le front avec sa manche comme un homme. Déjà il savait encarcaner un bœuf, dételer un
cheval, semer des oignons. C'est pas des choses
difficiles. Puis encore...

Donc, ça allait.

Le deuxième de la nichée, c'était une fille. Pas
belle, pas laide, pas grande, pas petite. Une femme,
À l'âge de huit ans, elle prenait de ces airs qui vous
tuent l'envie de la tutoyer. Elle aimait les fichus,

les rubans, ce qui brille. Ma femme lui taillait des
mouchoirs dans des vieilles nappes de couleur. Je la
vois encore « catiner », en plein soleil, devant la
remise, sérieuse, tendre. Des fois, méchante.

Passe loin, toi papa, avec tes grosses bottes ! Mes
amies sont à dîner, qu'elle me disait. Des poupées
de trois sous dînaient dans l'herbe. D'un coup de
semelle j'aurais pu... Mais non, j'étais le parrain
de toutes ces poupées-là. Fourche à l'épaule, je con-
tinuais mon chemin, un grand respect dans le cœur
pour la deuxième, qui me donnait des ordres.

Des fois, je me disais (s'il y en a un qui se dit
des choses, c'est bien l'habitant), je me disais : mon
fou, t'auras fait au moins ça dans ta vie. T'auras
ramassé avec ta main, huit fleurs, sans les arracher,
pour les mettre à l'abri. T'auras glissé la paume de
ta main sur huit grains, huit pépins, huit bourgeons, qu'une roue aurait pu écraser, qu'un souffle
aurait pu disperser, qu'une faux... bon. Je me disais
ça. Comme on met du sucre dans son eau des fois,
par caprice, les matins de grippe, de rhume. De me
dire ça, sucrait mon existence, me la faisait avaler.
Baroque hein ? Pas joli ? Je parle franchement
d'une chose que je connais. Quand les beaux esprits se mettent à parler de nous autres avec leurs
verbes sur tranche dorée, c'est plus nous autres. Il
y en a peut-être qui disent dans le moment : il est
fou ? De quoi est-ce qu'il parle ? Qu'est-ce qu'il
dit ? Pardon. Sans phrase, je vous parle d'une souffrance d'homme. Mais le monde est bête, sûrement
qu'il comprend pas tout ça...

Mon troisième de la nichée, c'était un garçon.

Châtain, lui. Oreilles décollées. Bouche ouverte tout
le temps. Pas fin peut-être. À l'âge de cinq ans, tout
ce qu'il savait dire, c'était : han han han. Un cri
d'oiseau, d'oiseau en détresse, déséquilibré dans
une bourrasque. Han han han.

Il avait quelque chose pas normal.

Qu'est-ce qu'il a ma femme ?

Longtemps on se l'est demandé de l'œil, sans se
l'avouer. Mais un jour, il a bien fallu se l'avouer.
Il était sourd-muet. Han han. Oui monsieur. Pas
drôle. C'est beau un cheval au galop, hein ? Pas
de réponse. C'est beau la neige, hein ? Pas de réponse. Quand il avait bien mangé, bien ri avec ses
petits frères et sœurs, quand il était heureux, il prenait la rampe de l'escalier à deux bras, il se ren-
versait la tête au ciel, puis il faisait han han. Content de vivre, tout bonnement, comme un arbris-
seau crochu s'étire au soleil, content.

Mais écoutez attentivement. Approchez-vous.

Lui, c'était le mien. Mon préféré. Quand je dis
lui, je baisse la voix, je peux pas parler fort. Du
quatrième, je peux dire avec force : c'était un petit
rétif, un petit dangereux sur qui il fallait lever la
main. Mais quand je parle de mon troisième, du
sourd, je dis : c'était celui que j'aimais. Il pourra
dire qu'il m'en a volé de l'affection, il pourra dire
qu'il m'en a puisé de la tendresse dans ma vieille
cruche de cœur. À s'en saouler ! Il pourra dire de
moi : je faisais ce que je voulais avec lui. Fatigué,
fourbu, cassé, éreinté, vingt jours de labour dans
le corps, épuisé comme un cheval qui pousse la
tourmente avec son poitrail, des soirs d'automne

je rentrais de mauvaise humeur, à cause des sueurs, des cents noires, de la solitude, des ténèbres, du découragement. Je disais aux enfants qui s'approchaient de moi pour sauter sur mes genoux : Non. Allez. Filez. Ils filaient parce que j'élevais la voix, parce que j'étais courbé vers le sol comme un homme qui porte 200 ans de trimage sur la nuque. Non. Allez. Filez. Pas ce soir. Mais le sourd arrivait lui. Hein ma femme ?

Femme. — Le sourd arrivait.

Homme. — Mais le sourd arrivait, lui, ses petits poings sur les hanches, ses yeux doux, sa bouche ouverte. Han han, qu'il faisait. Il voulait jouer avec moi. Il me prenait par la taille, me tiraillait, me mordillait les jointures pour rire... han han. J'étais gagné. Je roulais sur le prélart avec lui. Il me collait les épaules. Han han ! Il possédait le don extraordinaire de mettre en déroute mes chagrins. Suis pas un docte. Suis un ignorant. J'ai pas lu, ni entendu conter, ni vu dans les musées, ni appris de la bouche des autres. J'ai senti des émotions que je ne changerais pas pour tout l'or du parlement. Tic-tac ! Avec le cœur. Tic-tac, le cœur, sentir. Et je déclare que lui le sourd, s'il m'avait fait signe de mettre ma tête sur le billot, je pense que je l'aurais fait. Je ferais pas ça pour tout le monde. Non monsieur. Le sourd avait l'infortune. C'est pour ça qu'il avait les arguments qu'il fallait.

———

Donc, un jour de grande chaleur, de temps mort, de cris de grillons, un jour collant, collé, le fleuve

a fait signe au sourd de venir. Il est venu. Mais le
fleuve, le lisse, le beau, le doux, le calme m'a joué
un vilain tour, un tour de salaud, un tour maudit,
un tour de cochon. Il l'a gardé. Le fleuve, l'eau lisse,
la vague, le ventre de bœuf. Mon petit fou était au
fond !

Le rétif, le quatrième a assuré avoir entendu han
han vers le large, deux fois. Trois heures de l'après-
midi qu'il était. Je sarclais dans le jardin sous mon
chapeau de paille. Quand la petite fille est venue
en courant me dire : Là-bas, au fleuve, vite, allez !
Un glaçon m'a piqué le ventre. J'avais deviné. Le
fleuve, l'hypocrite ! Je savais tout.

Le soir des gaffes au fanal, je m'en rappellerai.
Le lendemain matin : des gaffes encore. Je m'en
rappellerai. Vers midi, un homme a crié à ceux
du bord : Je touche, je l'ai. Attends, que j'ai crié,
attends ! Il m'a donné le temps de me sauver, de
fuir, de me « pousser », de prendre le champ pour
hurler à l'aise comme un homme qui se débat sous
les guêpes.

C'était bien lui. Lui que j'avais aimé. Je l'ai aimé.
Fini. Han han. Sa visite à la maison finissait là.
Parti. Il a possédé tout. Un cœur d'homme, c'est pas
facile à avoir. Un cœur d'homme dur, à barbe de
broché, à épaules de bois, à mains comme des rames, c'est plus difficile encore. Il a possédé le mien.

———

Le quatrième, c'était donc un rétif, qui comme
un rétif bougeait pas quand il fallait, prenait l'é-
pouvante quand il fallait s'asseoir. Il a pris l'épou-

vante un automne sur sa bicyclette, à la saison des
vagabondages. Bien après, on a eu de ses nouvelles :
usine, salaire, chambreur, heureux, correct. C'était
un homme à troupeau. Lui fallait l'encombrement,
le bêlement de bien des hommes autour, un itiné-
raire, un écriteau, un commandement, un berger.
C'était pas un débrouillard, un maître. La liberté
lui donnait le vertige, la responsabilité lui faisait
claquer les dents. C'était un obéissant. Il en faut. Je
le comprenais. Il était fait pour obéir à un petit
contre-maître. Il est parti. Dans un champ, il paraissait à la dérive comme une barge sur l'océan. On
l'a pas pleuré.

Le premier, le blond s'est acheté une petite terre
pas loin de la mienne. Marié, heureux. C'est pas
un bruyant, ni un paresseux. C'est un brave garçon, serviable, mais pas trop. Distant un peu. La
petite qui aimait les rubans est partie pour la ville,
sitôt qu'elle a été réchappée, qu'elle a été fille faite,
qu'elle a laissé l'enfance. Elle est partie, contente,
sans pleurer. L'an dernier elle est venue nous rendre visite. On ne l'a pas reconnue, parce qu'elle ressemblait à une poupée des magasins à rayons. Elle
nous a pas reconnus, parce qu'on était dans les mêmes haillons. Elle a fait un geste bête, drôle, presque méchant : devant ma vieille et moi elle a ouvert
sa sacoche, a sorti un rouleau d'argent, qu'elle a
compté devant nous autres. Soixante-quinze piastres,
qu'elle a dit, vous avez jamais vu tant d'argent,
hein ? Elle a remis ça dans sa sacoche et pas un
mot. Après dîner, elle est partie, toujours sans un
mot aimable. De son argent, on en voulait pas, mais,

c'est de son ingratitude qu'on aurait pu se passer.
N'importe.

Les deux derniers de ma nichée, je les ai encore.
Une petite fille, un petit garçon. La petite fille est
bonne pour sa mère d'adoption. Le petit est bon
pour moi. Il m'enseigne l'écriture, il me montre
mes lettres. À tout prix, il veut que j'apprenne,
mais je suis trop vieux. Un crayon, j'ai l'impression
de manier une broche à tricoter. Non, je suis trop
vieux. Mais c'est bien intéressant les lettres. Il dit
qu'il aime la terre. Tant mieux. J'espère que la terre l'aimera. Des gens disent : j'aime la terre. Des
écrivains disent : j'aime la terre. Des savants disent :
j'aime donc la terre. Mais s'ils savaient comme la
terre se foute d'eux autres des fois... C'est une affaire
à deux. D'aimer, c'est correct. Mais d'être aimé, c'est
pas bête, non plus.

Huit, qu'ils étaient.

J'ai voulu vous dire une souffrance d'homme. Il y
en a qui ont souffert des bonheurs. Il faut les raconter. J'ai raconté la souffrance de ma vie, la joie
de ma vie aussi. Han han. Ce mot là est resté dans
ma tête. Pensez-y, quand vous verrez des fleurs sans
jardinier. On avait un bagage d'amour à semer
quelque part. On l'a épuisé.

Toi, si tu joues l'accordéon, fais une jolie boucle
à mon histoire. Salut bonnes gens.

LE FAUX ROSSIGNOL

COMME des moines qui retournent à leur abbaye, deux rangées de sapins s'enfoncent pieusement dans la montagne. Tournons le dos au monde. Allons loin. Très loin. Passons pics et villes. Arrêtons-nous sous l'horizon, aux rives de l'éternité. Nous ne parlerons pas de l'homme. Appuyez vos épaules sur un tronc de bouleau et bercez votre tête comme l'arbre bouge la sienne pour appeler la rêverie.

Assistons à la touchante histoire d'un jeune rossignol qui un beau matin, pris d'un grand tressaillement, découvre qu'il est possesseur d'un don extraordinaire : une voix de musicien.

Comment vous présenter la chose sans effrayer l'oiseau ? Le rossignol est un être si timide. Ajoutons que c'est un matin de juin, un matin que les fées déploient avec orgueil comme une robe de mariée, si gracieux et si beau... un matin sorti de l'amour.

C'est dans cette poésie que nous entrons, derrière les sapins qui ressemblent à des moines.

D'abord, il est là, lui, le petit, bravement seul devant le silence, cet exigeant public. Que dira-t-il ? Son cœur s'ouvre. Il ose ses premiers mots, des mots

neufs, ingénus. La libération est commencée. Voyez-
le. Il parle. Il fait cadeau à l'espace de maladroits
balbutiements, départ d'un voyage qui mènera peut-
être où n'atteignent pas les flèches de la terre. Un
artiste est en train d'éclore...

Rossignol. — Roule rêve. Roule, quel joli mot !
Le r, on dirait un petit caillou qui court sur une
grève et ne peut plus s'arrêter. Roule ! Rêve, l'ac-
cent sur le ê : c'est un chapeau léger, un chapeau
à rubans comme en portent les geais bleus ; ils s'en
servent pour attirer, enjôler, faire souffrir. Comme
c'est charmant les mots ! J'en ai trouvé deux, deux
bien à moi, que je possède, que je sais, que je porte.
Que pourrais-je bien construire avec ces deux mots ?
roule et rêve ? Mais il y a aussi mon nom, rossignol ;
y a-t-il de l'orgueil à comparer mon nom à une petite flèche qui bondit : ros, fait le sss comme le vent
et gnol, éclate en mille gerbes comme une fusée.
Alors j'ai : roule rossignol le rêve... C'est ça : roule
rossignol le rêve hors de ton cœur !

Ah Dieu ! Si je possédais une chanson bien à
moi, ici derrière ma fale entre mes deux ailes !

Il y a des oiseaux qui naissent avec un marteau
au bout du bec et des pinces dans les pattes, ce sont
les charpentiers. Il y en a d'autres qui naissent presque sans corps, mais armés de deux longues ailes
comme des cerfs-volants, ce sont les fils du vent. Il
y en a d'autres qui naissent avec les pieds palmés,
larges comme des rames, le poitrail bâti comme une
pince de canot et l'œil comme un phare, ce sont les
fils de l'eau. Et moi qui suis ni guerrier, ni ouvrier,
ni pêcheur, ni chasseur, si... Mais non, c'est de la

prétention. Si ma force était invisible, si ma voie, ma destinée, c'était la musique ! Comme la fleur se fait une parure en tissant des gouttes de rosée, si moi, en reliant des notes je réussissais la chaîne harmonieuse... Ps, ps, ps, c'est insensé ! Rossignol tu es un sot. Continue encore quelque temps à te brûler des parfums et tu mourras étouffé. Tu rêves et tu déparles ! À l'ouvrage. D'abord à la source pour te débarbouiller ! Où est mon peigne et ma serviette ? Tra la la la la... Roule rossignol ! Ah Dieu, si c'était vrai !...

Que fait le rossignol ? Il s'en va à la source bleue connue de lui seul, se lave en hâte, attend que le brouille de l'eau disparaisse pour boire trois perles de cristal. De là, sans songer au travail manuel, au voyage ou au jeu, sans goût pour les nouvelles de la nuit qu'à la place publique des oisifs discutent, il s'en va sur la branche d'un vieux pin centenaire fait en amphithéâtre : c'est la salle de musique, déserte et recueillie. Et lui, innocent de son rêve comme un vase de liquide précieux.

Rossignol. — J'aimerais bien connaître l'avis de quelqu'un sur cette éclosion qui m'arrive ce matin. Est-elle neuve ma chanson ? Est-ce beau ? Roule rossignol... Si j'étais un musicien ! Il se peut que j'en sois un. Je crois que j'en suis un. Qui pourrait me le dire ?

Pinson. — Gai lon la, gai le rosier du joli mois de mai.

Rossignol. — Non ! Une vraie aubaine ! Le Pinson ! C'est mon homme. Pinson.

Pinson. — Oui ?

Rossignol. — Ici.

Pinson. — Je t'ai entendu, je viens. Je descends et j'atterris. Gai gai !

Rossignol. — Bonjour. Tu es pressé ?

Pinson. — Salut. Qu'est-ce que tu veux ?

Rossignol. — ...

Pinson. — Rossignol, que veux-tu ? Tu dis : pinson viens. Je vire, je viens et tu te regardes les griffes. Malade ? Accident ? Puni ? Amoureux ?

Rossignol. — Non.

Pinson. — So what ? Excuse-moi : j'arrive de ma leçon d'anglais. Alors quoi ?

Rossignol. — J'ai quelque chose à te...

Pinson. — À te quoi ? Te voilà tout paralysé !

Rossignol. — Oui, c'est la gêne...

Pinson. — Hé, compagnon, c'est le matin ! Viens te baigner, l'air est rempli d'eau froide. As-tu déjeuné ?

Rossignol. — Ne parlons pas de ça.

Pinson. — Je suis un terre à terre.

Rossignol. — Ne ris pas, c'est grave.

Pinson. — Oh oh !

Rossignol. — Pinson, tu es mon ami ?

Pinson. — Hi hi !

Rossignol. — Dis-le franchement.

Pinson. — Oui oui !

Rossignol. — J'ai une mélodie à te faire entendre.

Pinson. — Non ! Que tu as composée ?

Rossignol. — Que je porte ici.

Pinson. — Dans ton cœur ?

Rossignol. — Oui.

Pinson. — Boy ! Alors, vas-y !

Rossignol. — Tout de suite comme ça ? Détourne-toi, j'ai le trac. C'est idiot la pudeur. Peut-être ne devrais-je pas t'ennuyer avec ça ce matin ? Tu sais, je n'aime pas l'eau ; ce que j'essaie présentement c'est aussi difficile que de me lancer dans un lac glacé, tout d'un coup !

Pinson. — Paff, lance-toi, plonge ! Vas-y, un, deux, trois !

Rossignol. —

« Roule rossignol le rêve hors de ton cœur,
puisque tu portes là un chagrin qui t'oppresse,
redonne-le au jour,
le jour éblouissant
qui le...

Pinson. — Pourquoi t'arrêter ? Continue.

Rossignol. — C'est tout ce que je sais. Oh, ce n'est pas long et c'est maladroit, d'ailleurs ma timidité gâte tout. Voilà. J'ai bien hâte de connaître ton avis, tu es mon premier auditeur. Qu'en penses-tu ? Dis ta pensée franchement.

Pinson. — Ce matin en sortant de mon banc à l'école, je me suis accroché une plume. Si tu voulais me l'arracher.

Rossignol. — Ah Pinson ! Tu n'oses parler !

Pinson. — C'est amusant, regarde.

Rossignol. — Tu changes le sujet de conversation. Tu me tues !

Pinson. — Rossignol, je crains de te chagriner.

Rossignol. — Parle. Ce n'est pas fameux, hein ? Je n'ai pas de talent ? Dis-le franchement. Est-ce

que ça te plaît ? Allons, va. Ne crains pas de me
chagriner.

Pinson. — Si cette plume peut se placer...

Rossignol. — Dépêche-toi, je meurs !

Pinson. — Voilà: il manque des « gais » dans ta
chanson, rossignol.

Rossignol. — Des quois ?

Pinson. — Des « gais ». C'est mon avis. Gai gai,
entends-tu ? Tu es triste. Pourquoi ? Ajoute un gai
ou deux et tout sera parfait. Tiens comme ceci :
gai gai.

Rossignol. — Tu crois ?

Pinson. — Je crois ! Je connais la musique,
voyons ! Mes ancêtres étaient des danseurs. Gai gai.

Rossignol. — Merci Pinson.

Pinson. — De rien. So long ! J'ai du Shakespeare
à traduire.

Et le pinson décolle gaîment en penchant des ailes
comme un petit avion. Seul sur le pin centenaire, le
jeune musicien à la livrée sombre se met à réfléchir.
Il regarde alentour : personne. Alors, pour lui tout
seul, face à une branche qui est là, voulant connaître l'effet que produiront les « gais » dans sa chanson, il risque ceci :

> « Roule rossignol la gaieté hors de ton cœur, gai
> roule rossignol la gaieté hors de ton cœur gai,
> renvoie tes gais dans le jour
> renvoie tes gais dans le jour... »

Enfin. Ce doit être mieux ainsi. Je ne suis pas
convaincu, mais j'habituerai mon oreille petit à petit.

J'apprendrai. Le pinson est bien gentil. Gai, gai, je n'oublierai pas.

Alors le rossignol va faire un tour au-dessus des sapins debout comme des moines. Le tourment est né dans son cœur, prélude d'une grande souffrance. Il lui vient une idée : le serin, rencontrer le serin, le petit bonhomme de serin jaune comme du sable de mer, avec des pattes comme des brins de mil. Sa mère est un professeur de chant renommée, spécialisée dans la musique moderne. Le serin. Voilà son homme !

Faisant ni un ni deux, il se met en frais de le chercher et le trouve à la porte de chez lui, oisif comme la plupart des serins.

Serin. — Tuit, tuit.

Rossignol. — Serin, tu es pressé ?

Serin. — Tiens, de la visite. Maman.

Rossignol. — Je t'en prie, ne dérange pas ta mère. Tu étais à dîner ?

Serin. — Non, ce n'est pas prêt encore. Qu'est-ce que c'est ?

Rossignol. — Serin, viendrais-tu un peu à l'écart ?

Serin. — Pourquoi ?

Rossignol. — J'ai... J'ai une mélodie à te faire entendre.

Serin. — Une mélodie ? Ta composition ?

Rossignol. — Oui.

Serin. — Tu as l'air tout mystérieux. Il n'y a pas de quoi s'énerver.

Rossignol. — Je suis ému.

Serin. — Alors, commence, j'ai l'habitude.

Rossignol. — Pas ici. À l'amphithéâtre.

Serin. — Que de cérémonies !

Rossignol. — Excuse-moi, je m'en veux de te déranger.

Serin. — Caprice très amusant. Je te suis.

Les deux petits oiseaux s'éloignent de la rue des serins et s'en vont dans le vieil arbre tranquille comme une salle de musique.

Rossignol. — Écoute bien.

Serin. — Tuit, tuit. Je me mets en boule, ce n'est pas très gracieux mais c'est ma façon d'écouter. Maman, c'est pire ! Quand elle écoute, elle se braque une griffe dans le front. Eh bien, commence. Vocalise ! Monte la gamme ! Ne te gêne pas, voyons. Chez moi, à la journée, il y a des élèves qui rythment du Gerswhin. Marche !

Rossignol. — Je commence. Je me dérhume et je pars.

« Roule rossignol la gaieté hors de ton cœur, gai »...

Le rossignol secoue la tête comme un petit tambour major et au lieu de terminer par une trille à sa façon, il termine par deux coups de tête : gai gai.

« Roule rossignol ta gaieté hors de ton cœur gai gai.
Renvoie tes gais dans le jour ou dans la nuit... ou... »

Serin. — C'est fini ?

Rossignol. — C'est fini. Qu'en penses-tu ? Tu es perplexe, tu plisses l'œil ?

Serin. — Je réfléchis. Quand ma mère réfléchit, elle plisse l'œil aussi, c'est de famille, il paraît que c'est un bon signe. Recommence, s'il te plaît ?

Rossignol. — Recommencer ?

Serin. — S'il te plaît.

Rossignol. — « Roule rossignol la gaieté hors de ton cœur gai gai...

Serin. — C'est bien, c'est bien. Assez.

Rossignol. — C'est bien ? As-tu dit : c'est bien ? Ah ! Merci ! Que tu es généreux. Veux-tu l'entendre encore une fois ?

Serin. — Pardon, pardon. Cher petit, je dis : c'est bien, dans le sens de : j'en ai assez, pour juger, pour porter un jugement. Rossignol, tu veux mon avis... Le veux-tu au moins ?

Rossignol. — Oui ! J'y tiens comme à mes yeux ! Je te paierai ce que tu me demanderas ; veux-tu mon nid ? Parle, je suis tout oreille, ton humble serviteur.

Serin. — Des distances, n'est-ce pas. Oh la la !

Rossignol. — Excuse-moi, c'est la nervosité.

Serin. — Je croyais que tu voulais m'étrangler.

Rossignol. — Excuse-moi.

Serin. — Alors, je continue. Au milieu de la mélodie, qui est passable peut-être, (c'est à discuter), je mettrais des « Tuit tuit ». Ma mère y tient chez tous ses élèves. Ça fait berceur. Tiens, comme ceci : tuit tuit. Et puis je ferais disparaître le mot rossignol qui me semble un peu prétentieux, qu'en penses-tu ?

Rossignol. — Mon nom ?

Serin. — Oui, ton nom. Ne l'affiche pas.

Rossignol. — Mais c'est à moi, c'est moi, je ne peux pas ne pas l'afficher.

Serin. — Je te comprends, écoute bien.

« Roule tuit tuit, la gaieté hors de ton cœur gai,
roule tuit tuit, la gaieté hors de ton cœur gai,
le jour est plein de tuit, la nuit aussi, tuit tuit...

Ou quelque chose de semblable. Moi, j'improvise, n'est-ce pas ? Tu n'es pas convaincu ?

Rossignol. — Toi, es-tu bien sûr de ce que tu m'avances ? Tu me certifies tes « tuit tuit » ?

Serin. — Comment, certifie ? Rossignol, tu as de ces mots, tu me renvoies mes tuit tuit comme si c'était des écailles d'avoine. Les serins de mon espèce sont des internationaux, n'oublie pas. Justement hier, maman recevait une lettre de New York...

Rossignol. — Pardon.

Serin. — Remercie-moi. C'est tout...

Rossignol. — Pardon, mille fois.

Serin. — Tu sais le prix de ses leçons de chant à maman ?

Rossignol. — Pardon deux mille fois et merci serin. Je te sais gré.

Serin. — Charmant ! Tu me donnes congé. Alors, je vais dîner. Au plaisir, tuit tuit.

En prenant garde de salir son habit neuf, car on est en juin, le serin s'envole. Face à la branche, le rossignol humilié de la leçon, mais courageux et tourmenté de plus en plus, répète la chanson nouvelle et l'apprend bien par cœur.

Rossignol. — Ça va dur, mais ça va. Il ne faut pas que je me moque d'eux : ils connaissent la musique. Le pinson et le serin seront satisfaits. Du moins, je

sais ce qu'il faut pour leur plaire : des gais et des
tuits ; j'en fabriquerai. Les tuits, je n'en suis pas
quand même tellement convaincu, mais il y a sa
mère. Et puis je suis jeune. Je trierai. Et de deux. Je
deviendrai un grand musicien. Tous les oiseaux
seront contents de moi. Il faut travailler ; ça, c'est
dans le programme et je n'ai pas peur. Balzac l'a dit,
je veux dire Puccini. Enfin, ils l'ont tous dit. Allons
maintenant chercher l'avis d'une espèce plus grosse.
J'aimerais bien avoir l'opinion de madame la corneille, l'opinion des gens du peuple quoi ! Çà, c'est
une idée, le peuple !

Sans plus de réflexion, le rossignol plonge dans la
forêt, zigzague longtemps avec habileté et s'enfonce
au pays des corneilles juchées dans les cimes d'ormes
comme dans des escaliers de villes. À l'une d'entre
elles qui étend son linge, il fait signe d'approcher.
Elle sèche ses mains, replace sa chevelure et pesamment s'avance. Avec une grosse voix de contralto,
elle dit :

Corneille. — Qu'est-ce que c'est, petit ? On t'attaque ? Tu es tout tremblant, veux-tu que je sonne
l'alarme ?

Rossignol. — Non non, tout va bien.

Corneille. — Comme tu es essoufflé !

Rossignol. — Non non. Je viens vous consulter
madame.

Corneille. — Prends le temps de t'asseoir. Qu'est-
ce qu'il y a ?

Rossignol. — Si vous étiez assez gentille de m'ac-
compagner à la salle de musique là-bas, au pin ; je
voudrais auditionner et j'ai foi en votre jugement.

Corneille. — Trop d'honneur ! Non ! Trop d'honneur ! Moi ! Toi ! Non ! Ça va, je te suis, amour ! Excuse-moi un instant : je vais avertir mon homme au cas où il s'inquiéterait.

Vieux, je m'absente pour cinq minutes ! Amour, on y va ?

Rossignol. — Par ici, madame. L'honneur est pour moi.

Avec ravissement, elle suit le jeune artiste qui saute entre les branches comme sur des cordes à danser. Maintenant il est bien à l'écart sur la branche de pin.

Rossignol. — Je voudrais simplement que vous entendiez mon chant madame et me disiez sans détour si cela vous plaît.

Corneille. — Trop d'honneur ! Si j'avais su, je me serais fait un peu de toilette. C'est lundi, jour du lavage. Et puis il y a les noces d'une cousine après-demain, (une vieille fille qui a réussi à dénicher un corbeau assez passable, quoique la boisson...) mais qu'est-ce que je dis, je m'excuse. Attaque petit ! J'oubliais la musique. J'écoute, l'âme en avant.

La corneille se rentre le cou dans les plumes, s'écrase sur ses pattes noires et ferme l'œil.

Rossignol. —

« Roule tuit tuit la gaieté hors de ton cœur gai gai.
Roule tuit tuit la gaieté hors de ton cœur gai gai.
Le jour est plein de tuit, la nuit remplie de gais,
comme ci comme ça.
comme ça comme ci. »

C'est fini madame.

La chanson est terminée. La corneille ouvre des yeux stupéfaits, ouvre les ailes, ouvre le bec, ouvre les pattes. Son ton de voix est découragé :

Corneille. — Mais petit, c'est navrant ! J'écoutais et je n'ai pas entendu.

Rossignol. — Entendu quoi ?

Corneille. — Il n'y a pas de « croa croa » dans ta chanson !

Rossignol. — Comment ?

Corneille. — Une chanson sans « croa croa » c'est un four. « Croa croa » ! Que fais-tu de nous, les corneilles ? Peut-on imaginer pareil oubli ? Pour avoir de la voix et du trémolo et de l'harmonie, tu en as, mais le rythme, mais la cadence, mais le peuple, mais la marche militaire qui nous fait aller de l'avant. « Croa » que je te répète. J'attendais pour battre la mesure avec ma patte ! C'est désolant !

Rossignol. — Pourquoi me regardez-vous comme cela : Avez-vous envie de me manger ?

Corneille. — Inimaginable ! Pas de « croa » !

Elle balance la branche, se donne un élan et retourne dans son escalier. Maintenant le rossignol a envie de pleurer.

Rossignol. — Je ne saurai jamais le chant. Je suis un sot ! Comment fait-on pour plaire à tout le monde ?

« Croa croa, roule tuit tuit, la gaieté hors de ton cœur gai gai croa croa roule tuit tuit, la gaieté hors de ton cœur gai gai ». Ce n'est plus cela du tout, c'est trop long et c'est faux et c'est fou et c'est creux ! J'ai honte ! Je ne deviendrai jamais un musi-

cien ! Pourquoi le public est-il si difficile ? Je suis un
illusionné. Je n'ai aucun talent ! Ah malheur de rossignol !

Et dans sa petite fale sombre, il pleure trois gouttes d'argent. Le désespoir s'empare de lui.

Le temps est à la chanson. De grandes ombres
tièdes invitent à la composition et à l'extase et il n'a
pas le goût de chanter. Il veut dormir, se coucher
quelque part et ne plus vivre.

Rossignol. — Vous avez bien raison !

Immobile sur sa branche de pin, il attend le soir.
Le jour se penche. Les feuilles sont saoules de lumière. Le soir devient rouge, c'est le couchant. Puis,
le soir devient gris. Le musicien n'a pas la force de
regagner sa demeure.

Rossignol. — Vous avez raison. Je coucherai ici.

Deux étoiles, comme deux yeux d'ange, le regardent en haut du pin.

Rossignol. — La nuit sera belle. Je resterai ici.

Il repasse sa journée, ses rêves et reste là au milieu
de sa peine.

Soudain, par la gauche, là-bas, de l'autre côté de la
savane brûlée, de là-bas au pays des mouches et des
souches, où l'horizon s'endort aux portes de l'éternité, il entend une voix étonnamment douce, variée,
plaintive, d'une grande beauté. Les sons sortent purs
et neufs en flots rapides, comme le sang sort du
cœur. Vous entendez ? Vite, le petit se frotte les
yeux, prend son élan, monte pour ne pas se frapper
aux branches et court, ailes ouvertes, dans la direction de la mélodie qui le fascine. Qui est cette voix ?

Quelle est cette apparition d'oiseau céleste dans le pays des sons ? Il se branche sur un bouleau bleu.

Corneille. — Chut, chut ! Pas de bruit, polisson !

Pinson. — For heaven sake, du calme !

Serin. — Tuit tuit, je vais appeler maman. De la dignité, intrus !

Le petit rossignol lève la tête, reconnaît ses trois critiques et voit aussi tout un peuple d'oiseaux qui écoute le concert avec recueillement. Quelques oiseaux ont le bec piqué dans la fale pour que l'oreille verse mieux la mélodie dans le cœur ; de mignonnes têtes de femmes bien coiffées reposent sur le cou de leur mari ; de vieux pics-bois ouvriers balancent leur marteau en mesure ; d'autres, de tout petits applaudissent des ailes au plafond de juin. Mais le soliste, qui est-il ?

C'est un vieux rossignol à livrée sale, en haut d'un grand chicot de frêne là-bas, face à la nuit, au-dessus des hommes, plus haut que les routes, les sentiers battus et les enseignes connues. Il chante, les yeux fermés, le bec pointant les étoiles comme s'il frappait dessus pour entrer dans le firmament.

> « Roule rossignol le rêve hors de ton cœur,
> ne t'occupe de rien, si tu veux pleurer, pleure,
> fais des trilles, des rires, des roulades en gamme,
> il n'est qu'une chanson, la chanson de ton âme !
> Le reste importe peu,
> chante,
> ferme les yeux,
> chante ! »

Puis il développe ce thème sur d'autres modulations.

« Roule rossignol le rêve hors de ton cœur ! »

Rossignol. — Il va m'arriver un malheur. Je suis un faux rossignol. La vérité tombe sur moi comme un grand jet de lumière. Tenez, votre chanson avec les « gais » les « tuits » et les « croas », je la sors hors de mon crâne et je la vomis... Je suis un faux rossignol. Malheur de moi !

Serin. — Il est fou, faites-le taire !

Corneille. — Je peux bien aller chercher la police.

Pinson. — Voisin, for heaven sake !

Serin. — De grâce, pour l'amour de l'art, ne tapage pas !

Rossignol. — Laissez-moi !

Serin. — Si le maître t'entend, il va cesser.

Rossignol. — Qu'est-ce que vous dites ?

Corneille. — Va-t'en, petit, va te coucher !

Rossignol. — Répétez, s'il vous plaît.

Serin. — Si le maître t'entend, il va cesser de chanter.

Rossignol. — Il ne sait pas que vous êtes ici ?

Pinson. — Mais non, idiot ! Il ne chante pas pour le public, lui. Il chante pour lui et le bon Dieu !

Rossignol. — Ah ?

Le petit rossignol pleure amèrement. C'est la première grande déception de sa vie, je crois. En vitesse, il se dirige vers la salle de musique et prenant le ciel à témoin, il va, c'est facile à deviner, établir les bases de sa foi artistique. Il jure de recommencer à zéro.

Rossignol. — Comme les arbres se dépouillent de l'automne et sèment au vent leur belle toilette, leurs diplômes et leurs titres, je jure de tout brûler mon faux-savoir, de me cacher, de me réformer par le dedans. Je serai moi-même. Si dans l'âme j'ai une chanson, elle jaillira un jour, puisqu'on ne peut pas tuer ce qui doit vivre et faire vivre ce qui doit mourir.

« Roule rossignol le rêve hors de ton cœur,
ne t'occupe de rien, si tu veux pleurer, pleure,
fais des trilles, des rires, des roulades en gamme,
il n'est qu'une chanson, la chanson de ton âme ! »

Depuis ce temps, quand l'heure est à la peine, on peut entendre ce petit rossignol sur un arbre solitaire. Il chante pour lui comme s'il était le seul au monde et les oiseaux disent que c'est un enchantement !

CHASSE À L'HOMME

IL était venu sans s'annoncer. En fin de semaine. Le soir. Par le train de six heures. Il était descendu au village et prestement s'était enregistré au petit hôtel du coin. Trapu, manchot, laid, cet homme possédait des yeux qui voyaient dans les ténèbres.

Karkalade. — Une chambre s'il vous plaît.

Hôtelier. — Pour la nuit seulement ?

Karkalade. — Pour un temps indéfini.

Hôtelier. — J'aimerais bien savoir pour combien de temps, c'est une hôtellerie ici, cher monsieur.

Karkalade. — Vraiment ? Voici ma carte.

Hôtelier. — Oh ! Oh ! Mille excuses. Signez je vous en prie. Je suis désolé, pardonnez-moi. Garçon, garçon... monte les malles de monsieur. Je vous conduirai moi-même : suivez-moi par ici...

Karkalade. — Je monterai seul. Vous dérangez pas.

Hôtelier. — À votre aise, à votre guise, vous êtes chez vous. Si vous avez besoin, sonnez, sonnez... Oh ! Que je suis bête !

Sa surprise passée, l'hôtelier donna l'alarme d'abord à son commis, puis le commis à sa femme, la femme à sa voisine, la voisine à des amis par téléphone. Dans l'espace d'une demi-heure, tout le village sut que le célèbre détective de l'état, Karkalade, était descendu au village. Karkalade ! Tavernier, boucher, plombier, boulanger, tous, tous, intrigués sous le manteau, se questionnaient, évitant les endroits publics et les réverbères.

Et dans la rue...

Tavernier. — Qu'est-ce qu'il a dit ?

Hôtelier. — « Une chambre pour un temps indéfini ». C'est tout ce qu'il a dit.

Tavernier. — De quelle façon te l'a-t-il dit ?

Hôtelier. — D'une voix basse, mystérieuse, en me regardant au fond de l'âme.

Tavernier. — Calmement ?

Hôtelier. — Mais oui.

Tavernier. — En français ?

Hôtelier. — Oui.

Tavernier. — Parce qu'il parle cinq langues.

Hôtelier. — D'abord j'ai cru que c'était un vulgaire voyageur.

Tavernier. — Vulgaire voyageur, Karkalade que la police britannique consulte souvent !

Hôtelier. — Karkalade ! Je l'ai vu. Il était là devant moi. Avec l'index, j'aurais pu lui toucher l'épaule. Formidable !

Tavernier. — Renifles-tu quelque chose ?

Hôtelier. — Comment, renifler ?

Tavernier. — Que vient-il faire ici dans le village ?

Hôtelier. — Je ne suis pas de Scotland Yard, moi. Tiens, voilà le boucher. Boucher ! Tu as l'air d'un malfaiteur. On ne t'a pas entendu venir.

Boucher. — Et puis ?

Hôtelier. — Et puis quoi ?

Boucher. — Des nouvelles, hôtelier ?

Hôtelier. — Non, boucher.

Boucher. — Raconte ce que tu sais.

Hôtelier. — Il a dit : « Une chambre pour un temps indéfini ».

Boucher. — C'est tout ?

Hôtelier. — C'est tout.

Boucher. — Qu'est-ce qu'il veut ?... Tavernier, tu te doutes ?

Tavernier. — Pas plus que toi, boucher.

Boucher. — Karkalade ! Les cinq italiens, voleurs de banques, d'il y a dix ans. À Montréal, il les a pincés seul.

Tavernier. — On s'en souvient. On sait aussi que l'an dernier, il a expédié la femme en rose à la chaise électrique.

Hôtelier. — Grande visite hein ? Ces derniers temps, il était en dehors du pays. Il arrive peut-être d'Europe et vient se reposer.

Tavernier. — Innocent !

Boucher. — Fou !

Hôtelier. — Quoi ?

Tavernier. — Comme si ces hommes-là se reposaient. Il file quelqu'un.

Boucher. — Pour sûr qu'il file quelqu'un. Ces hommes-là filent toujours quelqu'un.

Hôtelier. — Tu as la frousse ?

Boucher. — Pas plus que toi, hôtelier. Il va se passer des choses...

Tavernier. — Tu soupçonnes quelqu'un ?

Boucher. — Non, tavernier. Toi ?

Tavernier. — Peut-être.

Hôtelier. — Chut... le voilà... Alors boucher, ça va ton commerce ?

Boucher. — Oui, ça va.

Hôtelier. — Tu es content ?

Boucher. — Satisfait.

Hôtelier. — Tu l'as vu passer ?

Tavernier. — Karkalade ! Quel homme !

Boucher. — Et manchot ? Ça alors, je ne savais pas.

Tavernier. — Pas quand il s'agit de pincer quelqu'un. Suivons-le.

Boucher. — Tiens, on l'arrête. C'est l'éditeur de *la Feuille Bavarde* qui l'intervioue. Approchons-nous...

Éditeur. — Monsieur Karkalade, cher maître, quel grand honneur vous faites à notre village. Je suis éditeur du quotidien de la vallée. Permettez. Tous les citoyens sont intrigués ; vous nous voyez flattés, confus, énervés, je dirai troublés. Monsieur le maire ! Avez-vous rencontré monsieur le maire ? Pouvons-nous savoir quelque chose ? Vous êtes en repos sans doute ? N'étiez-vous pas en Russie, le mois dernier ?

Karkalade. — En effet.

Éditeur. — Êtes-vous au repos chez nous ? Ou suivez-vous une piste ?

Karkalade. — Je cherche quelqu'un.

Éditeur. — Pardon ?

Karkalade. — Je cherche quelqu'un.

Éditeur. — Ici ?

Karkalade. — Ici.

Éditeur. — Qui se cacherait dans le village ?

Karkalade. — Peut-être.

Éditeur. — Ici ?

Karkalade. — Ici.

Éditeur. — Homme ou femme ?

Karkalade. — Peut-être homme, peut-être femme.

Éditeur. — Quelqu'un ?

Karkalade. — Je cherche quelqu'un.

Éditeur. — Peut-on en savoir plus long ? Pour ma *Feuille Bavarde,* quelle magnifique occasion de bavarder. Imaginez qu'ici, notre dernière nouvelle sensationnelle, fut le dévoilement d'un petit monument dans le jardin du collège, il y a six ans. Paisible village, n'est-ce pas ? Alors ?

Karkalade. — Je n'ai rien à déclarer.

Tavernier. — Pardon monsieur le détective, monsieur Karkalade... Puis-je vous poser une question ?

Karkalade. — Tout dépend, tavernier.

Tavernier. — Comment savez-vous que je suis le tavernier ?

Karkalade. — Votre casquette porte la raison sociale que je vois sur l'enseigne de la taverne d'en face.

Tavernier. — Pourtant vrai.

Karkalade. — Alors ?

Tavernier. — Heu... une piste ?

Karkalade. — Pourquoi dites-vous ça ?

Tavernier. — Vous êtes...

Karkalade. — Oui.

Tavernier. — Nous devons vous paraître d'une curiosité d'enfant monsieur Karkalade, mais...

Karkalade. — La personne que je cherche est nuisible, méchante, dangereuse, bonne à abattre.

Tavernier. — Et elle se cacherait ici dans le village ?

Karkalade. — Peut-être, tavernier.

Tavernier. — Bon. Si on peut vous aider, nous les citoyens, on ne demande pas mieux que d'aider la justice.

Karkalade. — C'est tout à votre avantage, n'est-ce pas ?

Tavernier. — Je le crois, je le crois.

Boucher. — Moi aussi j'aurais un mot à vous dire monsieur Karkalade. Je suis le boucher, rue Petit Commerce, pour vous servir monsieur.

Karkalade. — Tiens ! tiens ! Le boucher, c'est vous ?

Boucher. — C'est moi. Oui, oui c'est moi. Avez-vous à me parler ?

Karkalade. — Je n'ai pas dit cela. Pour le moment autre chose m'occupe... La rivière est dans cette direction ?

Éditeur. — Eh oui ! Droit devant vous, maître, droit devant vous.

Boucher. — Drôle de question !

Éditeur. — Type extraordinaire ! Demain, je le photographie. Comme tu es pâle, boucher !

Boucher. — Moi ? Et pourquoi je pâlirais ?

Éditeur. — Peut-être tu ne te sens pas bien... ça nous revire les sangs cette visite. Mes amis, moi je vous le dis, il vient nettoyer le village.

Boucher. — Nous aurions besoin d'un nettoyage, tu crois ?

Éditeur. — Toi ? Ton avis ? Moi je passe la nuit à fouiller les archives de la place, depuis sa fondation, depuis le premier arpentage de la première rue... Oh, mais j'y pense !

Tavernier. — Quoi ?

Éditeur. — Mais sa venue, c'est peut-être au sujet de l'apprenti-plombier qui s'est empoisonné il y a sept ans ?

Boucher. — Bardotte ?

Éditeur. — Oui. Bardotte, on l'avait peut-être empoisonné ?

Tavernier. — Fou ! On avait fait l'autopsie, j'étais présent, j'étais charretier dans le temps ; l'affaire du poison c'était faux.

Éditeur. — Tu crois ?

Tavernier. — Boucher, allons-nous-en ! C'est une affaire enterrée, il y a belle lune... Viens-tu ?

Boucher. — Allons-nous-en.

Éditeur. — Tout le monde s'esquive. Et pourtant, on se sent en sécurité dans le village avec un homme pareil, comme si le régiment de la Chaudière veillait sur la place publique.

———

Capitaine. — Monsieur Karkalade. Je vous cherche depuis hier soir.

Karkalade. — Ah, lieutenant ! Asseyez-vous.

Capitaine. — Pardon, je suis capitaine. À votre disposition. Je suis le chef de police ici depuis dix-huit ans. Alors les cachettes, les recoins, les trous, les ventres de bœuf... vous me comprenez ? Mon flair est à votre service. Alors quoi, il se passe des choses ?

Karkalade. — Pourquoi dites-vous ça ?

Capitaine. — Entre policiers on peut se parler ? Écoutez, nous sommes seuls. Vous filez quelqu'un ?

Karkalade. — Filer, c'est un gros mot...

Capitaine. — Écoutez, je suis le chef de police, si je peux vous aider, mon bureau, mes filières, mes hommes sont à votre disposition.

Karkalade. — Merci. Je n'ai besoin de personne.

Capitaine. — Vous n'avez besoin de personne ?

Karkalade. — Je n'ai jamais eu besoin de quelqu'un, monsieur.

Capitaine. — Scotland Yard méthode, hein ?

Karkalade. — Peut-être.

Capitaine. — Je m'y connais vous savez ! L'affaire de contrebande de bijoux au Mexique, vous étiez seul ? Incroyable ! Moi je ne suis qu'un petit capitaine de village, mais dépisteur dangereux. Informez-vous. Dangereux. À votre service.

———

Karkalade. — Encore vous, à cette heure lieutenant ?

Capitaine. — Pardon ! Capitaine. Ça marche. J'ai du nouveau. Le commis chez le pharmacien, le jeune Grodon est disparu cette nuit.

Karkalade. — Et puis ? Qui vous a demandé du nouveau, vous ?

Capitaine. — Par le train de deux heures cette nuit, il a filé. Notre affaire marche. J'ai donné ordre

à un de mes hommes de le filer. Quoi, ça ne vous
émeut pas ? C'est vrai, vous avez l'habitude. Alors,
j'attends des ordres.

Karkalade. — Des ordres ?

Capitaine. — Il aurait senti l'odeur de la police, le
misérable.

Karkalade. — Je n'ai pas d'ordre à vous donner.

Capitaine. — Un homme qui se sauve c'est un
homme coupable ? Non ?

Karkalade. — Mais de quoi parlez-vous, mon
ami ?

Capitaine. — Disons que ce n'est pas mûr... Mais
je reviendrai. Vous verrez.

———

Karkalade. — Tiens tavernier ! Vous me paraissez
bien inquiet ! Auriez-vous des soucis ?

Tavernier. — Oui. Nous sommes seuls ?

Karkalade. — Parlez.

Tavernier. — Merci. On peut pendre son paletot
ici ? Merci. Le coupable, c'est moi.

Karkalade. — Cigarette ?

Tavernier. — L'homme que vous recherchez, c'est
moi.

Karkalade. — Allumette ?

Tavernier. — C'est moi. Je vous le dis. Je n'en
peux plus. Toute la nuit j'ai eu des cauchemars. Mon
frère m'a dit : « Va donc te livrer. Alors, je suis
venu. C'est moi. »

Karkalade. — Cendrier ?

Tavernier. — Merci. Je me sens déjà comme soulagé. Je vais tout vous raconter du commencement à la fin. On ne peut pas, n'est-ce pas, continuer à vivre quand on a le boulet accroché au talon. Je vais tout vous dire. Il y a cinq ans, j'ai faussé des papiers pour l'acquisition de la taverne où je suis...

. . . .

Karkalade. — Bon ! Bon ! Mon ami. Et jamais on ne vous a soupçonné ?

Tavernier. — Jamais. Personne. L'affaire était secrète, à huis clos. Aucun doute, aucun soupçon possible. Quand les inspecteurs venaient rôder, on sortait le petit truc que je vous ai dit. Ils gobaient ça comme une bouchée de pain. Mais vous, vous arrivez ici, il y a une semaine. Vous dites : « Je cherche un homme », sans bousculer personne d'enquêtes et de questionnaires. Vous passez chaque jour devant ma taverne. Vous m'observez. Vous prenez un verre en m'observant tranquillement. On n'est pas des fous. Je me dis : Ça y est, c'est moi ; il m'a, il vient me chercher. J'ai tout dit monsieur. Maintenant, qu'on en finisse ! Que dois-je faire ? Je suis prêt.

Karkalade. — J'enverrai votre confession à votre chef de police.

Tavernier. — Vous ne m'amenez pas ?

Karkalade. — Il vous conduira au chef-lieu où vous répéterez cette confession.

Tavernier. — Vous, vous restez ici ?

Karkalade. — Tavernier, je vous félicite de votre franchise, vous êtes un brave homme. Vous n'êtes pas celui que je cherche. De grâce, ne regrettez pas... Allez ! Suivant !

Femme. — Tenez, lisez, les voilà les papiers, les vrais papiers, l'acte de naissance authentique, tout est là. L'autre femme chez qui est l'enfant, c'est la fausse ; la vraie, c'est moi. Ainsi finit ma pauvre histoire. Je n'en peux plus de souffrir, de faire la rue comme une traînée. Puisque mon amant ne reviendra plus, qu'ai-je à perdre ? Que la justice fasse de moi ce qu'elle voudra. Je me suis confessé.

Karkalade. — Vous êtes la mère de l'enfant ? Et comment le prouverez-vous ?

Femme. — Les actes sont là. Lisez.

Karkalade. — Je lis. Ah mais non ! Vous irez à Montréal, non au chef-lieu.

Femme. — Quand partons-nous ?

Karkalade. — Vous partirez ce soir.

Femme. — Vous ne venez pas avec moi ?

Karkalade. — Non. Moi, je reste.

Femme. — Alors, ce n'est pas moi que vous cherchez ? J'ai tout dit cela pour rien ?

Karkalade. — On ne dit jamais ses torts pour rien. Je vous souhaite bonne chance, madame.

———

Karkalade. — **Encore vous ?**

Capitaine. — Le commis est revenu. Mon homme l'a filé. Si vous voulez le questionner, il est aux cellules de l'hôtel de ville. Il a tout avoué.

Karkalade. — À quel sujet ?

Capitaine. — Mais, du vol ? N'est-ce pas pour cela que vous êtes ici ?

Karkalade. — Occupez-vous-en.

Capitaine. — De qui ?

Karkalade. — De votre commis.

Capitaine. — Mais quoi... un vol ! Il avoue ! Vous n'êtes pas réjoui ?

Karkalade. — Si vous voulez. Mais ce n'est pas ce commis que je cherche.

Capitaine. — Pas lui ?

Karkalade. — Capitaine, je vous félicite. Vous m'excusez ? J'ai du courrier à ouvrir.

———

Concierge. — Monsieur...

Karkalade. — Oui ?

Concierge. — Je suis concierge, à 18 rue du Piedbot. On vient de trouver un chambreur mort dans sa chambre.

Karkalade. — Suicide ?

Concierge. — Oui. Une arme à feu était près de lui. Voici un papier sur lequel il a écrit ses dernières volontés.

Karkalade. — Je référerai au chef-lieu.

———

Éditeur. — Quel éditorial ! Un inconnu se suicide au lieu de se rendre à la police. Alors, cher maître, tout est fini ? Vous pouvez vous vanter de semer la frayeur sur votre passage. Pauvre homme ! Se suicider ! Le village se nettoie. Je l'avais prédit ! Quand repartez-vous cher maître ?

Karkalade. — Mais je ne pars pas.

Éditeur. — Non ?

Karkalade. — Mais mon travail n'est pas encore commencé.

Éditeur. — Ai-je bien entendu ?

Karkalade. — Bien le bonjour éditeur.

Éditeur. — Qui cherchez-vous à la fin ? Qui ? Tout le village vient vers vous se confesser.

Karkalade. — Et c'est bien là ma peine.

Éditeur. — Que voulez-vous dire ?

Karkalade. — Laissez-moi ! Je sors...

———

Hôtelier. — Bonsoir monsieur Karkalade.

Karkalade. — Bonsoir Hôtelier.

Hôtelier. — Vous sortez ?

Karkalade. — Oui.

Hôtelier. — Ma voiture est à la porte, si vous voulez les clefs.

Karkalade. — Non.

Hôtelier. — Vous vous plaisez dans notre pays ? Le service est à votre goût ? S'il vous manque quelque chose, ne vous gênez pas. J'ai mis un garçon à votre disposition.

Karkalade. — Je n'en ai pas demandé. Et je vous remets ces fioles que vous avez fait transporter dans ma chambre.

Hôtelier. — Je croyais vous faire plaisir.

Karkalade. — Vous préparerez ma note.

Hôtelier. — Ho ! Avec les compliments de l'hôtellerie, voyons...

Karkalade. — Je ne veux rien devoir à personne.
Hôtelier. — Bon. À vos ordres.

———

Karkalade. — Bonjour ma belle.
Fille. — Moi ?
Karkalade. — Oui, toi, bonjour. Tu t'apprêtes à partir ?
Fille. — Moi ? Oui, il est six heures : j'ai fini mon travail.
Karkalade. — Et tu vas où ?
Fille. — Chez moi.
Karkalade. — Eh ! La belle ! Tu oublies tes gants.
Fille. — Merci.
Karkalade. — Mais qu'est-ce que tu as ? Tu ne pars pas ?
Fille. — Non.
Karkalade. — Qu'as-tu ?
Fille. — Arrêtez-moi monsieur, je vais tout vous dire.
Karkalade. — Va souper. Il est six heures.
Fille. — Je n'en puis plus !
Karkalade. — Tu pleures ?
Fille. — Voilà : au soir du 2 avril l'an dernier...
Karkalade. — Ce n'est pas toi que je cherche, petite, va.
Fille. — Ce n'est pas moi ? Vous n'êtes pas venu pour l'affaire des drogues ?
Karkalade. — Non. Bon appétit. Va.
Tiens, mais voilà mon capitaine ! Il semble en avoir à l'éditeur. Prêtons l'oreille.

Capitaine. — Enfin, c'est un conseil que je te donne.

Éditeur. — Allez-vous me ficher la paix capitaine ?

Capitaine. — Moi, je n'ai pas de preuves, mais lui en a dans sa poche. J'ai vu ton nom, que je te dis, sur une feuille. Éditeur, va donc, dénonce-toi, je t'en supplie... C'est toi qu'il cherche. Je te dis que c'est toi qu'il cherche.

Éditeur. — Qu'est-ce que j'ai fait, moi ?

Capitaine. — Une dette !

Éditeur. — Une dette ?

Capitaine.— Une dette. Tu dois ? Dois-tu ?

Éditeur. — Capitaine, vous allez me mettre en colère.

Capitaine. — C'est un conseil que je te donne, éditeur. Il sait tout. Alors toi, tu sais ce que tu as à faire ! Moi, je file.

Éditeur. — Mais Karkalade était ici ? Je parie qu'il a tout entendu... Vaut mieux en finir tout de suite !

Bonsoir cher maître.

Karkalade. — Tiens, l'éditeur. Vous avez du nouveau je gage !

Éditeur. — Oui. J'apporte le chèque, échangeable à la succursale indiquée. Deux cents dollars. Je vous le laisse voir, vérifier et tout... et je l'expédie. Je devais ça à l'ordre du nom inscrit. Dans mes débuts ici, j'avais un camarade que je ne payais pas. Je lui dois deux cents dollars. J'ai apporté mes livres pour la vérification.

Karkalade. — Je vérifierai.

Éditeur. — Je vous laisse le chèque.

Karkalade. — Je le mettrai moi-même à la poste !

Éditeur. — Ouf ! Je suis soulagé ! Alors cette fois, c'est bien fini ?

Karkalade. — Éditeur, je te félicite de ton honnêteté. Il faut payer ses dettes, si vieilles soient-elles.

Éditeur. — Ouf ! Que je suis soulagé ! Je n'aurais jamais cru que vous veniez pour moi. Alors, cher maître, on ne fera pas de bruit, n'est-ce pas ? L'affaire est entre vous et moi, hein ?

Karkalade. — Entre toi et moi, éditeur. Ne crains rien. Pourquoi faire du bruit ? Va. Mais tu n'es pas l'homme que je cherche. Je sens que je suis sur la piste. Je veux être seul... Je suis sûr que ce n'est pas ici qu'il viendra. Il y a trop de bruit. Allons... Peut-être que l'homme de la rue me le révélera...

———

Boucher. — Alors, les cinq italiens ?

Karkalade. — Oui. Seul, boucher, j'étais seul.

Boucher. — Mais comment ?

Karkalade. — Tu vois ma main ? Je l'ai ouverte... et tes cinq italiens sont venus manger dedans...

Boucher. — Manger dedans ?

Karkalade. — Dedans.

Boucher. — Et si...

Karkalade. — Absolument. Je suis sur la veille d'ouvrir ma main et le coupable va paraître, chapeau dans les doigts, incliné, et il va tout me dire comme un enfant. Il viendra peut-être demain...

Boucher. — Et s'il ne venait jamais ?

Karkalade. — Peut-être ce soir...

Boucher. — Et s'il déménageait ? S'il changeait de pays, de nom et de commerce ?

Karkalade. — De commerce ?

Boucher. — Je veux dire...

Karkalade. — Il viendra peut-être dans une demi-heure...

Boucher. — Arrêtez, j'ai quelque chose à dire.

Karkalade.— Peut-être est-il à la porte de ce bureau...

Boucher. — Mais enfin, la terre est grande...

Karkalade. — Peut-être est-il dans ce bureau...

Boucher. — Écoutez monsieur Karkalade...

Karkalade. — Je n'ai pas ouvert ma main, boucher... Prends le temps que tu voudras, rien ne presse...

Boucher. — Je ne vois plus clair, j'ai l'impression qu'on me ligote, laissez-moi...

Karkalade. — Personne ne te touche, boucher.

Boucher. — C'est nerveux, vous comprenez ? Excusez.

Karkalade. — Pas de quoi.

Boucher. — Monsieur...

Karkalade. — Oui ?

Boucher. — Quand vous vous êtes informé de la direction du bord de l'eau, vous auriez pu en regarder un autre que moi ?

Karkalade. — Je t'avais regardé ?

Boucher.— Il y avait le tavernier, pourquoi m'avoir regardé, moi ?

Karkalade. — Je ne sais pas.

Boucher. — Non, n'ouvrez pas la main ; ce n'est pas moi, ce n'est pas moi. Je n'ai rien dit...

Karkalade. — Chut... Allons, tu vois bien que c'est trop lourd ? Tu es chanceux toi, de t'avoir trouvé...

Boucher. — C'est vrai. Donc, un sac. Un sac. Vous savez ce que c'est qu'un sac, une poche ? Un sac ordinaire que j'ai pris dans ma remise... je l'ai roulé sous mon bras, après m'être assuré qu'il n'était pas troué. Et ça faisait des ronds dans l'eau, monsieur, des ronds... des ronds, il y en avait jusque dans la lune, des ronds... le sac était au fond avec une pierre pour qu'il y reste... Des ronds... des ronds... des ronds...

Karkalade. — Calmez-vous.

Boucher. — Vous refermez la main, mais je n'ai pas fini, je n'ai pas fini...

Karkalade. — Va finir ta confession au chef-lieu. Ce n'est pas toi non plus que je cherche et je suis pressé. Ah ! Je voudrais être seul... Mais j'entends toujours quelque chose...

———

Capitaine. — Ma femme a raison. L'arrestation serait faite depuis longtemps s'il venait pour un civil. Mais entre policiers, c'est délicat. La pudeur, quoi. Il sait. Il sait tout. Voilà. J'irai. Et tout de suite.

Karkalade. — C'était encore ce maudit capitaine...

Capitaine. — Je vous félicite, Karkalade.

Karkalade. — Et de quoi ?

Capitaine. — Je vous serre la main.

Karkalade. — Mais pourquoi ?

Capitaine. — C'est pour la délicatesse que je vous serre la main.

Karkalade. — Quelle délicatesse ?

Capitaine. — Voilà. Je n'irai pas par quatre chemins. Ça remonte à dix-sept ans en arrière. J'étais du complot à ces fameuses élections. La honte me remonte au cœur en bouillons. J'ai fraudé. Je ne voulais pas. Je me fermais les yeux, mais j'étais pauvre et puis... Alors, j'ai laissé passer la chose sale. J'ai permis, moi l'autorité. Dans le secret on m'a remis ma part. La part du lâche. Je suis un triste individu, mais je restituerai tout. Maintenant je disparais... pour raison de santé... Et si vous vouliez...

Karkalade. — Tais-toi capitaine. Et va en paix.

Capitaine. — Vous ne souffleriez pas un mot au chef-lieu ?

Karkalade. — Non.

Capitaine. — Merci. C'est tout ce que je dis. Merci.

Karkalade. — Va.

Capitaine. — Mais dites-moi...

Karkalade. — Tu devines juste, ce n'est pas toi. Va quand même. Tu n'as rien dit. Moi je rentre à l'hôtel.

———

Hôtelier. — Bonsoir monsieur Karkalade.

Karkalade. — Bonsoir.

Hôtelier. — Fait beau temps ?

Karkalade. — Oui.

Hôtelier. — Vous n'allez pas vous reposer dans le fumoir ?

Karkalade. — Non.

Hôtelier. — Vous attendez quelqu'un ?

Karkalade. — Non.

Hôtelier. — Je vois, vous avez perdu la clef de votre chambre ?

Karkalade. — Non.

Hôtelier. — Puis-je faire quelque chose pour votre service ?

Karkalade. — Une toute petite chose...

Hôtelier. — Quoi donc ?

Karkalade. — J'attends toujours, hôtelier.

Hôtelier. — Quoi donc ?

Karkalade. — Vous savez quoi. Est-ce que ce sera pour demain ou pour tout de suite ?

Hôtelier. — Ce sera pour tout de suite monsieur Karkalade. Si vous voulez passer dans mon bureau...

Karkalade. — Pas nécessaire.

Hôtelier. — Personne ne nous écoute ? Vaut mieux en finir. Vous avez raison. Alors voilà : Oui. Le troisième plancher de mon hôtellerie, c'est le plancher louche, mais si vous voulez me dire combien pour le silence...

Karkalade. — Tu me dégoûtes, hôtelier.

Hôtelier. — C'est vrai. Je ne suis pas diplomate. Oh, je savais bien que cette rencontre arriverait tôt ou tard. Alors, je suis fait ? Si vous êtes venu me chercher, je me rends. Mais vous êtes le premier qui refuse de se laisser acheter.

Karkalade. — Vas-tu te taire ? Qui t'a demandé des rapports sur ton hôtel ? Quand je dis que j'attends quelque chose de toi, ce n'est pas une con-

fession, c'est la note que je te dois. Je ne veux rien
devoir à personne.

Hôtelier. — Ce n'est pas ma confession que vous
attendiez ?

Karkalade. — Non. C'est celle d'un autre, infiniment plus rusé que toi... mais il viendra. Il est au
bout de sa ruse... très bientôt, il va crier.

———

Karkalade. — Messieurs, je l'ai trouvé. Hier soir
au bord de l'eau, je me promenais, je l'ai trouvé.

Tout le village. — Qui ?

Karkalade. — Il était seul dans les ténèbres regardant couler l'eau. Tout à coup, il a crié un grand
cri et il a dit : « Arrêtez-moi, je suis coupable ! On
arrête celui qui a volé, mais moi j'ai tué dans mon
cœur et on ne m'a pas arrêté. Il a dit : le suicide,
j'en suis capable, la conspiration, j'en suis capable,
je suis passé maître dans le mensonge. Ma détresse
est grande comme ma laideur ! Il a dit : dans
les caves de mon âme, j'ai des réserves d'envie
et de haine qui me pousseraient au crime si ma lâ-
cheté ne me faisait pas si doux et si conciliant ! Il
a dit la compagnie des pauvres que je prétends aimer, je la fuis comme la peste. Il a dit : j'habite
une saleté qui me dégoûte, mais comme le ver de
terre, je prends grand soin de ne pas quitter ma
fange ! Au contraire, je m'y enfonce et m'y vautre
avec délices et contentement ! Il a dit : je remets
à plus tard la peine et le travail et j'ai toujours le
temps pour le vice et la gloire ! Il a dit : ma bou-

che est pleine de bons conseils que mon cœur n'a jamais suivis ! Publiquement je maudis le dieu argent, mais rentré chez moi, je m'incline servilement devant lui jusqu'à sentir mes genoux plier... Il a dit : que les autres aillent à la guerre, je me dis innocent des crimes des peuples, je ne veux participer qu'à ses fêtes, je me lave les mains de ses malheurs dont je suis peut-être le responsable. Être de faiblesse ! Qui donc me sortira de ma nuit ! Que périsse l'homme de péché que je suis ! Des désirs mauvais me hantent partout ! Je suis la fourberie, la misère, l'oubli ! Mon cerveau est une bête à plusieurs gueules qui se nourrit de la fatigue d'autrui. Quelle faute ai-je donc commis dans les âges... pour que je sois si misérable ! Mort, aie pitié de moi ! » Ainsi criait-il.

Tout le village. — Vous étiez là ?

Karkalade. — J'étais là.

Tout le village. — C'était qui à la fin des fins ?

Karkalade. — Moi.

Tout le village. — Vous ?

Karkalade. — Moi. Ils vont venir me prendre ce soir. Et je vais m'accuser d'orgueil, de dureté, d'abus de pouvoir et d'autorité. Je vais m'accuser d'avoir eu des yeux de lynx pour les fautes d'autrui et des yeux d'aveugle-né pour les miennes. Pourquoi je ne me soulagerais pas en me confessant comme vous faites tous ? Mes crimes sont lourds comparés aux vôtres. Enfin, je vais abattre le monstre qui vous parle. Qu'on m'expédie aux fers. J'ai mérité la mort publique ! Que comprennent ceux qui

ont des oreilles. Ne m'enlevez pas la punition qui
se lève devant moi comme un matin... j'y cours
c'est ma libération...

DANS UN MARAIS

IL a plu toute la nuit dernière, et ce matin le soleil coule par les trouées des nuages. La terre éclate de parfums. Comme une sirène vêtue de voiles, passe la brise. Mélodieusement elle appelle au dehors les insectes cachés, secoue les herbes lourdes de pluie, fait bouger les oiseaux, les arbres, et gracieuse, roule dans le matin.

La prairie est illuminée comme une salle de banquet. Des gouttes d'eau pendent aux herbes comme de minuscules lampes de toutes couleurs. Les fleurs se caressent. Les roseaux dénouent l'étreinte de la nuit et se renversent dans la lumière.

En plein milieu de cet éblouissant décor, une sauterelle vagabonde, raide et bleue comme un clou, à la taille serrée dans un corselet de métal, n'ayant dans la tête — sa tête ronde comme une petite tour d'observation — ni rendez-vous, ni travail, vient d'appliquer les freins sur un trèfle. Elle a le cœur léger et libre comme celui d'une étudiante en vacances et le corps propre et vibrant comme l'avion moustique qu'on sort du hangar.

Du trèfle odorant elle saute à une marguerite, s'y balance, s'écrase sur un brin de mil et d'un coup de ressort bondit plus loin sur une motte en frot-

tant ses élytres l'une contre l'autre pour faire de
la musique.

Invitée par l'aventure, la bonne humeur de la
route et les désirs de son âge, au caprice de l'avant-
midi, la sauterelle flâne paresseuse, zigzaguante,
moteur en joie.

De butte en pente, de cahot en détour, elle aperçoit là-bas un petit lac tout en or. C'est un marais
tranquille, oasis d'oiseaux timides, de papillons dé-
çus, qu'une savane cache jalousement derrière son
dos.

Comme on ouvre un écrin où brille un collier,
le marais, pour qui le découvre, étincelle. Le soleil
joue entre les quenouilles, découpe les plantes aquatiques, baigne les roseaux et les nénuphars. La vagabonde pousse les pédales, s'aligne, prend son
élan, décolle, traverse un bouquet d'herbes pointues
et atterrit en plein cœur de ce bijou, sur une large
feuille plate qui bouge et « *flaquotte* » comme un
radeau.

Elle est ivre de lumière. Des milliers de petits
soleils comme des billes vont roulant sur la crête
des vagues. Et ce mouvement de l'eau chuchote
une musique fraîche comme des lèvres qui répètent
« je t'aime » sans s'arrêter.

Mais quelle est cette chose accrochée à une mousse flottante à deux pas d'elle ? Est-ce une grappe
de bulle de savon, des cellules de ruche, un débris
de nid de guêpes, de la poussière d'éponges ? Quel-
les sont ces rondes et transparentes petites parcel-
les mouchetées d'un point ? Vous l'avez deviné. Ce
sont des œufs de batracien, des œufs vivants.

Voilà qu'une voix, une minuscule petite voix sort de cette vie à fleur d'eau :

Elle. — Passante, ayez pitié d'une malheureuse !

La sauterelle penche carlingue, regarde alentour, s'inquiète un peu d'entendre cette chose inconsistante qui parle. Elle demande :

Vagabonde. — Que veux-tu ? Qu'y a-t-il ?

Elle. — Ne bougez pas.

Vagabonde. — Je ne suis qu'une passante.

Elle. — Alors, bonjour mademoiselle. Bienvenue au marais. Permettez que je vous adresse d'ici, des bulles qui flottent, ma prière. Vous me voyez ?

Vagabonde. — Parfaitement maintenant.

Elle. — Moi, pas, à cause de la coquille. Entendez-vous ma voix ?

Vagabonde. — Oui, mais parlez plus haut.

Elle. — Je parle comme il m'est possible.

Vagabonde. — Que voulez-vous ?

Elle. — Oh ! Comme je souhaiterais converser avec vous ! Belle passante, daignez prêter l'oreille...

Vagabonde. — Mais allez ! Je vous écoute.

Elle. — D'abord, je vous souhaite une bonne journée, de la santé et du bonheur tant que vous en voudrez.

Vagabonde. — Je vous remercie.

Elle. — Je veux causer simplement. Dites-moi des détails de votre existence. S'il vous plaît... comment êtes-vous vêtue ? Moi, je vous imagine drapée de tulle, pure et belle comme une grosse goutte d'eau détachée d'une source, folle voyageuse sur le dos du vent. Vous feriez grande charité à entretenir une prisonnière de quelques paroles. J'habite le néant. Que votre voix peuple ma solitude. Vous êtes ailée n'est-ce pas ? Flottez-vous sur l'eau ? Parlez-moi de vos pattes.

Vagabonde. — J'ai des ailes et je marche sur des pattes.

Elle. — L'air et la terre vous supportent ? Comme vous devez être légère et gentille ! Qui êtes-vous ?

Vagabonde. — Une sauterelle, mon amie. Je pèse une goutte d'eau, tu l'as dit.

Elle. — Une sauterelle, qu'est-ce qu'une sauterelle ? Renseignez une ignorante.

Vagabonde. — Un insecte qui saute.

Elle. — Encore ?

Vagabonde. — Au sommet de mon élan, je ne retombe pas tout de suite si je veux. Je peux faire volte-face dans l'espace, m'immobiliser presque comme font les oiseaux-mouches, me poser bien à l'aise sur une tige d'air. Les lois de pesanteur et de gravité ne m'aiment pas du tout ; je les ai déconcertées maintes fois en faisant des acrobaties pour épater mon frère.

Elle. — Non ! C'est incroyable ! Et d'où êtes-vous ?

Vagabonde. — De la sauterellerie par-devant la savane.

Elle. — Savane ! Quel mot délicieux ! Votre nom ?

Vagabonde. — Vagabonde.

Elle. — Et ça veut dire ?

Vagabonde. — Qui va à sa fantaisie.

Elle. — Ah ! Fantaisie ! Il y a du bleu dans ce

mot, des envols, deux ailes en voyage, un caprice, tombé dans l'azur et qui ne veut plus redescendre. Vous avez devant vous madame, l'esclave le plus pauvre, le plus solidement ligoté à la matière, la matière la plus vague, la plus flasque, la plus molle qui soit. Néant, petite image de l'abîme. Pleurez mon sort. Je maudis mon cachot et ma nébuleuse vie. Sans moyens de locomotion, sans défense, sans fenêtre sur le monde, sans horizon... Je suis l'albumine.

Vagabonde. — Que voulez-vous que j'y fasse ?

Elle. — Je me suis laissé dire par une mousse dévote, que rien n'est impossible au magicien de la nature. Il paraît qu'il change la rosée en miel ?

Vagabonde. — Et les fleurs en fruits et les blés en pains.

Elle. — Si vous vouliez lui demander la métamorphose de l'albumine...

Vagabonde. — Vous me faites peur !

Elle. — Je vous en supplie !

Vagabonde. — Enfin, pourquoi ? N'allez pas imaginer que la liberté est plus pure que ce marais. C'est un gouffre rempli de pièges.

Elle. — Donnez-moi le gouffre pourvu que j'aie des yeux pour le voir et des ailes pour le raser.

Vagabonde. — Pour s'abriter des laideurs, des êtres se sont bâti une coquille comme la vôtre. Vivre, c'est difficile vous savez. Qu'avez-vous à vous plaindre ? Vous possédez gîte, provisions, sécurité.

Elle. — Et des ennemis belle vagabonde, leur nombre est infini ! Oiseaux, froidûre, poissons, brûlures, pression, friction, remous, tiraillement, piqûres. Jouet des vagues et des bouches. Ce n'est pas tant l'ennemi qui m'effraie comme la liberté qui me hante. La liberté ! Qu'on me détache de cette glue informe, qu'on me donne un petit gouvernail, plus petit que le vôtre, je veux trouver mon chemin seule, dans le marais... un petit gouvernail, de grâce. Vous dites qu'il change les fleurs en fruits ?

Vagabonde. — Je ne sais s'il daignera m'entendre, moi, une sauterelle.

Elle. — Je ne vous ai pas vu encore, mais j'ai bonne idée comment vous êtes. En vous créant, le magicien a mis beaucoup de complaisance, vous êtes si douce. Il a dû mettre beaucoup d'amour à vous inventer. Je suis sûre qu'une requête venant de vous sera écoutée.

Vagabonde. — À mon retour dans ma prairie, à la tombée de la brume, avant de me retirer pour la nuit sous les herbes, je demanderai au magicien qu'il vous exauce !

Elle. — Merci, belle passante ! Je ne saurai vivre tant que je n'aurai été transformée.

Vagabonde. — Mais si vous êtes exaucée, ne regretterez-vous pas votre première vie ?

Elle. — Jamais. Qui est assez fou pour regretter les ténèbres ?

Vagabonde. — Je reviendrai vous visiter dans une dizaine de jours.

Elle. — Au revoir vagabonde, mon amie ! Croyez bien qu'ici dans le marais, la reconnaissance d'un être minuscule vous est acquise à jamais.

Au soir de cette journée, comme elle l'avait promis, Vagabonde se mit à plat, humblement sur la

terre, ailes repliées comme ceux d'un avion en es-
cale. Devant un petit rayon de couchant large comme un cheveu, elle invoqua le magicien de la nature, puis elle entra se coucher sous son brin d'herbe.

Au matin du dixième soleil, la vagabonde, sans
souffler mot à son grand-père Tremplin et à son
petit frère Soubresaut de ses courses derrière la savane, décolla aussi discrètement que possible, prit
la route du marais et fila, jarrets ouverts. Soucieuse
de nouvelles, nerveuse, elle atteignit enfin la grande
feuille flottante bâtie comme un radeau. Grand silence. Silence qui porte l'extraordinaire.

Elle scruta les alentours, la mousse à la dérive.
Plus rien. Alors elle eut peur comme dans l'attente
d'un miracle. Elle fouilla chaque recoin de nénu-
phar. Rien. Les bulles étaient disparues.

Elle se pencha pour regarder dans l'étang et recula, stupéfiée. Elle aperçut entre deux eaux, une
petite bonne femme de poisson : une grosse tête
terminée par une frétillante petite rame. Non ! Impossible ! Et le petit poisson riait, saluait, tournait,
roulait dans l'eau pour exprimer sa joie. Elle se
montra le bout du nez à la surface, parla, en faisant un petit bouillon de bulles entre chaque
phrase.

Elle. — Bonjour.

Vagabonde. — Que vois-je ? C'est toi ? L'albumine ?

Elle. — Bonjour ! Oui c'est moi.

Vagabonde. — Mais tu as été exaucée ? Tu es
sortie des ténèbres ?

Elle. — Oui. Je te remercie.

Vagabonde. — Parle.

Elle. — Excuse-moi si je plonge après chaque phrase. Hors de l'eau, j'étouffe.

Vagabonde. — Alors ? Hâte-toi, explique.

Elle. — C'est arrivé ! Mais pas comme je le rêvais. Merci quand même.

Vagabonde. — Qu'est-ce que tu dis ? Mais je croyais que tu emplirais l'espace de cris de joie !

Elle. — Oui.

Vagabonde. — N'es-tu pas heureuse ?

Elle. — Oui. Peut-être. Hélas !

Vagabonde. — Tu dis hélas ? Qu'est-ce qui te prend ?

Elle. — Je n'ai pas ce que je veux.

Vagabonde. — Mais que veux-tu ? Il te manque quelque chose ?

Elle. — Vagabonde, des antennes te précèdent. Deux solides pinces sortent de ton menton. Comme fils de fer tes pattes sont bien tirées. Ton flanc est dur comme écaille. Quel ennemi peut t'attaquer ? Quel vent peut te renverser ?

Vagabonde. — Où veux-tu en venir ?

Elle. — Si j'avais... deux petites lames pour tenir mes ennemis à distance. Le pays est rempli d'ennemis ici, c'est affreux !

Vagabonde. — Les poissons ?

Elle. — Exactement. Alors si tu voulais en parler au magicien... Oh ! Pas grand chose... deux petits bâtons sans qualité, de simples cannes pour me défendre, tu me comprends ? Excuse-moi, j'étouffe ! Il faut que je retourne au fond. J'ai trop parlé.

La sauterelle agita ses élytres et partit brusquement, en colère. Son cœur eut raison de sa colère, puisque le soir avant de rentrer se coucher sous son brin d'herbe, Vagabonde adressa ces paroles au magicien :

Vagabonde. — Magicien, j'ai une faveur à te demander. Ne peux-tu pas poser des pattes à mon amie du marais qui est entourée de poissons voraces et cruels. Elle est trop petite pour vivre ainsi avec la peur des remous, sans défense, sans protection. Pour moi, magacien... s'il vous plaît..., parce que je suis son amie... elle est si petite ! Bonsoir magicien.

Et un matin de lente brume qui présage la belle journée, la sauterelle s'en fut voir son amie au marais.

Elle n'attendit pas longtemps. La petite sirène était là, immobile, tête basse, muette comme un malade accablé par la beauté du jour.

Vagabonde. — Oh ! Les charmantes rames que tu as ! Bouge-les. Approche un peu. C'est splendide ! Alors, tu es exaucée ? Quelle merveille ! Dieu que tu dois être contente !

Elle. — Oui.

Vagabonde. — Approche un peu que je te voie.

Elle. — Non.

Vagabonde. — Pourquoi ?

Elle. — Ça ne va pas très bien aujourd'hui. Tu tombes sur un mauvais jour.

Vagabonde. — Encore ?

Elle. — Ah ! J'aurais dû ne rien demander. Prisonnière dans ma cellule, j'étais plus libre qu'aujourd'hui. Mais il est trop tard. Quand on est parti à demander, on ne s'arrête plus. Maintenant je veux des armes pour vaincre cette vie décevante et cruelle. Ne me parle pas de sécurité. Il y a ma peur qui veut être vengée.

Vagabonde. — Mais qu'est-ce qui t'arrive ? Maintenant que tu as des bras, tu peux te défendre de tes ennemis ?

Elle. — Oui et je peux même m'accrocher aux plantes aquatiques, mais...

Vagabonde. — Alors quoi ? Qu'as-tu à bouder ?

Elle. — Je préfère ne plus me plaindre parce que je vais m'attirer la colère du magicien.

Vagabonde. — Parle, nous sommes des amies. De quoi souffres-tu ?

Elle. — Comme il est doux d'avoir une amie et combien je te remercie, sauterelle vagabonde. Voilà : l'eau c'est bon pour moi tu sais, c'est limpide et pur, mais c'est compact, pesant comme un mur et si froid ! Il y a des remous au fond et des courants dangereux, d'affreuses ténèbres et des nourritures empoisonnées. Deux fois, la semaine dernière, un grand découragement est venu me visiter.

Vagabonde. — Pourquoi ?

Elle. — Parce que j'observais un canard au-dessus de moi dans les joncs. Un canard, voilà la vraie liberté. Une liberté qui fraye son chemin dans l'eau, qui claque des ailes et s'élève dans l'air ; une liberté maîtresse et non esclave comme la mienne. Je donnerais je ne sais quoi pour pouvoir respirer votre atmosphère à vous, mes amis terrestres. Les cachettes sont au fond de l'eau, mais les merveilles sont dans vos patries de terre.

Vagabonde. — Émouvante petite, que veux-tu au juste ? Adresse-moi ta requête et je la transmettrai au magicien. J'ai de l'amitié pour toi. Que désires-tu ?

Elle. — Vagabonde, voilà ; je veux des poumons. C'est insensé ? Je te scandalise ? Des poumons. Crois-tu que je pourrais échanger mes branchies pour des poumons ?

Vagabonde. — Quand tu dis poumon, sais-tu ce que tu dis ?

Elle. — Je le sais.

Vagabonde. — Tu m'effraies et en même temps je te dis de ne pas désespérer. Nous aurons là tous deux une occasion neuve de chanter la puissance de celui qui change les chrysalides en papillons.

Elle. — Adieu Vagabonde ! Je te donne toute ma tendresse... je t'attendrai. Merci !

Rentrée chez elle, ce soir-là, Vagabonde appela son petit frère Soubresaut, avec qui elle vivait au milieu des marguerites de la prairie et lui dit :

Vagabonde. — Soubresaut, j'ai une grande faveur à demander au magicien ce soir. Tellement grande cette fois, que j'ai besoin de ta collaboration. Veux-tu m'aider ?

Soubresaut. — Oui, ma sœur.

Vagabonde. — Agenouille-toi et répète bien après moi.

Soubresaut. — Oui, ma sœur.

Vagabonde. — Magicien, j'ai encore une faveur à vous demander pour mon amie du marais. Voulez-vous s'il vous plaît, échanger ses branchies pour des poumons ?

Soubresaut. — Qu'est-ce que tu dis, ma sœur ?

Vagabonde. — Répète la prière.

Soubresaut. — Mais je ne la comprends pas.

Vagabonde. — Je t'expliquerai. Répète pour que ma supplique soit plus forte.

Soubresaut. — Magicien, changez s'il vous plaît, les branchies pour des poumons chez l'être que vous savez. Maintenant, explique-moi.

Vagabonde. — Voilà.

Et Vagabonde entraîna son frère loin des curieux, sur une petite élévation de terrain, à deux bonds de sa demeure. Elle raconta à Soubresaut le cadet, ses récentes aventures du côté du marais, sa rencontre avec une bulle inconsistante devenue poisson. Il lui avait poussé des pattes et maintenant elle souhaitait des poumons.

Vagabonde. — Soubresaut, à mon prochain voyage au marais, je t'emmènerai.

Soubresaut. — Ma sœur, je serais très curieux de rencontrer ton ambitieux phénomène.

Et quinze jours plus tard, les deux petits chefs-d'œuvre de précision, comme deux mouvements mécaniques lancés dans l'air, bondirent vers le lac d'or à grands coups de clics et de déclics, laissant la sauterellerie loin derrière eux. Quand ils eurent atterri au centre du radeau :

Vagabonde. — C'est ici.

Soubresaut. — Quel étrange pays !

Vagabonde. — Tu trouves ?

Soubresaut. — Bizarre pays ! Je ne me sens pas en sûreté. Les fleurs y sont trop belles et l'eau trop sage.

Vagabonde. — Mon amie doit être aux alentours. Attends que je me penche pour voir.

Soubresaut. — Tu vas tomber, malheureuse !

Vagabonde. — J'ai l'habitude.

Soubresaut. — Où est-il ton expérience à bon Dieu ? Il pourrait être plus empressé à venir te saluer.

Elle. — Bonjour, messieurs dames !

Soubresaut. — Sauvons-nous.

Vagabonde. — D'où vient cette grosse voix ?

Elle. — D'ici, derrière la fleur jaune, à fleur d'eau.

Vagabonde. — C'est lui.

Soubresaut. — Lui ?

Elle. — C'est moi. Ne craignez rien. Je vous ai effrayées ?

Vagabonde. — C'est ta grosse voix que je ne reconnais pas.

Elle. — Hum !... J'ai des poumons maintenant tu sais. Et j'apprends le chant. Quand la nuit vient, je tends ma bouche hors de l'eau et je lance des notes qui se baladent entre les joncs, frappent les cailloux et éclatent dans le soir comme des fusées.

Vagabonde. — Ah ! Ciel ! Et ça, qu'est-ce ?

Elle. — Où ?

Vagabonde. — Derrière ton corps, tu as des pattes ?

Elle. — Oui. Pattes en avant, pattes en arrière, poumons, grand appétit, une bouche qui s'élargit, des dents...

Vagabonde. — Mais c'est épouvantable ! Que grignotes-tu ?

Elle. — Un brin d'herbe.

Vagabonde. — Alors, tu n'es plus un poisson ?

Elle. — Mais oui, c'est-à-dire je ne sais plus trop.

Vagabonde. — Peux-tu marcher sur terre ?

Elle. — Non, mais je peux respirer ton atmosphère sans sentir de gêne, c'est l'important.

Vagabonde. — Peux-tu nager ?

Elle. — Certainement, regarde.

Vagabonde. — Mais tu es une enfant gâtée. Tu fais des choses dont je suis incapable. Tu as tout obtenu du magicien. Souviens-toi l'informe grain noir que tu étais lorsque je t'ai rencontré pour la première fois, ici même, et te voilà gros comme un paquet de sauterelles.

Elle. — Et je t'en suis reconnaissante. Merci. Ah ! chère Vagabonde, tu verras comme je te payerai toute ma dette un jour. Qui est ce charmant petit qui t'accompagne aujourd'hui ?

Vagabonde. — Mon frère Soubresaut, le cadet.

Elle. — Bonjour Soubresaut.

Soubresaut. — Bonjour monsieur le... quoi ? Comment vais-je vous nommer ? Vous êtes poisson ?

Elle. — Amphibie, appelle-moi Amphibie.

Alors, ça va de première classe. Mais Dieu que je suis toujours affamée ! Excusez-moi que je grignote.

Vagabonde. — Tu es heureuse ? Tu n'as plus de requête à adresser au magicien ?

Elle. — Oui. Une toute petite. Et c'est la dernière, je te le jure. Veux-tu s'il te plaît lui demander de me donner le pouvoir de...

Vagabonde. — Je trouve que tu en as suffisamment.

Elle. — C'est vrai. Mettons que je n'ai rien dit.

Vagabonde. — Dis quand même. Quel est ce pouvoir que tu souhaites ?

Elle. — Celui de marcher sur terre.

Vagabonde. — Marcher sur terre ? Mais mon vieux, je crains que la prochaine fois tu demandes des ailes, hein ?

Elle. — Non, je te jure que c'est ma dernière demande. Marcher sur terre !

Vagabonde. — Et dans l'eau aussi ?

Elle. — Les deux, si c'était possible, les deux. J'aimerais davantage marcher sur terre entre des pieds d'arbres ! Maintenant que j'ai des poumons... s'il vous plaît. Ton frère Soubresaut peut bien t'aider dans la supplique ? Dis, le feras-tu ?

Vagabonde. — Peut-être.

Elle. — Marcher sur terre ! Si je te dois de marcher sur terre un jour, je ferai le pèlerinage à pieds jusqu'à chez toi !

Quinze jours plus tard, par un matin de soleil rouge qui se confondait avec le rouge des trèfles, joyeusement, Vagabonde et Soubresaut partirent dans la direction du marais afin de constater les éventuels changements que le magicien aurait opérés. L'étang était rempli de voix qui psalmodiaient. D'invisibles plongeurs disparaissaient dans la mare en faisant flac !

Parvenus au centre du petit quai, les deux sauterelles, le cœur en fête, se mirent à appeler :

Les Deux. — Phénomène ! Phénomène !

Soubresaut. — Personne ! On ne répond pas...

Vagabonde. — Le vois-tu quelque part ?

Soubresaut. — Nulle part.

Vagabonde. — Sautons à terre chez les pieds d'arbres. Si la faveur était accordée ! On ne sait jamais... Comme ce serait extraordinaire, nous n'aurons plus qu'à nous épuiser en remerciements jusqu'à la fin de l'été...

Soubresaut. — (criant) Vagabonde...

Vagabonde. — Quoi ?

Soubresaut. — Derrière toi...

Vagabonde. — Qui ?

Soubresaut. — Prends garde !

Nue et moins fiévreuse, la grenouille à tête plate, gluante et laide, yeux saillants, dents aiguës dans une bouche verte, était là ! Une langue rose et visqueuse attrapa la gentille sauterelle propre comme un clou et la fit disparaître. Et la trappe se referma avec un bruit de piège.

Soubresaut avait bondi plus loin sur une quenouille.

Soubresaut. — Vous avez mangé ma sœur !

Elle. — Quoi ? Est-ce vrai ? C'est vrai ? Moi ? J'ai fait ça ?

La coupable plongea au fond de l'étang. Dans les herbes bien cachées, l'humble petite bulle d'autrefois devenue maintenant monstre froid, luisant et vert, se répétait à voix basse en fixant la mousse du fond :

Elle. — J'ai mangé mon amie ! J'ai mangé mon amie ! Que m'engloutissent les ténèbres ! Que le jour fuie loin de mes yeux. J'ai mangé mon amie !

Ahhhhh ! Jamais je n'aurais dû sortir de ma cellule. Malheur à moi ! J'ai mangé mon amie !

Et Soubresaut, le frère cadet, ailes pendantes,
antennes à bas, corselet de travers, tête lourde d'un
désir de mort, s'en fut à la sauterellerie en pleurant.

Soubresaut. — Elle lui avait tout donné. L'autre
l'a happée !

Vous savez maintenant pourquoi les sauterelles
ne se lancent plus dans les grenouillères et pourquoi les grenouilles ont fait promesse de ne jamais
venir dans les sauterelleries.

LE SOULIER DANS LES LABOURS

AMBROISE sangle ses trois bêtes sous les harnais de labour et entre dans les champs par la barrière ouverte.

Il fait beau. L'avant-midi commence seulement. Octobre glisse dans l'air comme un oiseau aux ailes froides, parfumé de tous les soleils et de toutes les nuits d'été.

De vieux brins de foin noircis et crochus, oubliés dans le bord des clôtures, s'agitent comme pour prendre la fuite devant l'hiver qui vient. Il dit :

— C'est comme l'été.

Ambroise sifflote une marche en battant la mesure avec les « cordeaux ». De lourdes corneilles, en plein banquet sur des épis de blé, s'envolent pesamment devant lui en criant des injures. Il traverse les deux pacages durcis par le piétinement du bétail, la prairie de trèfle avec son chaume serré comme étoffe du pays, le ruisseau crochu où vont boire les animaux et touche la deuxième moitié de la terre.

Sa charrue, dans un commencement de sillon là-bas, ressemble à une ancre au bord de la mer. Il examine son travail en marchant : la ligne des raies droite comme une règle, la levée de fossé neuve, ce

grand dos de terre riche et musclé comme un dos
d'homme fort. D'un branlement de tête, il se félicite.

Un petit « siffleux » rond, fagot dans les pattes,
le regarde passer de loin. Les nuages sont comme
des coussins. Ambroise aimerait les toucher du
doigt. Il pense à Madone.

— Whoo ! crie-t-il, quand il est près de la charrue.

Il fait reculer ses bêtes, attache les traits aux ba-
culs d'érable, s'accroche les cordeaux dans le cou.

— Hip !

Ses mains mordent les manchons humides et l'at-
telage se met en marche. Les nuages aussi. Les trois
bêtes piétinent un peu dans un bruit de chaînes,
décollent en se donnant des coups de poitrail sans
le faire exprès. À vingt pieds du point de départ,
chaque animal reconnaît son chemin de la veille et
tel qu'hier, résigné, courageux, accepte de continuer la besogne commencée.

La charrue neuve, luisante comme un couteau à
pain, tranche la terre par belles tranches comme à
même une bonne grosse miche. Une miche qui a
reposé quelque temps au bas de l'armoire à pain et
que l'on sort quand les hommes ont beaucoup faim.
La mie tendre, la croûte rude, une longue miche.
Et Ambroise a faim de manger le vent et de travailler.

— Marche !

Ambroise hume ses labours, comme un boulanger hume sa pâte. D'un geste brusque, il pousse
d'une main comme sur des épaules, les sillons res-

tés debout, tout en tenant l'autre main sur le man-
chon. Sa semelle enfonce dans la terre grasse et la
terre ne crisse pas comme la neige :

— C'est que je ne lui fais pas de mal.

Il chantonne.

Les caves, les granges, les carrés à grain, les fenils
sont pleins à déborder. Il y a la vie devant lui, sous
lui. Il marche sur la vie. Il foule le sang de la terre
qui fait la moisson. Son sang à lui court à flots
pressés sous sa peau forte et tendue de jeune cuir.
Il y a le vent qui emmêle sa chevelure et tord la
crinière des chevaux et les oiseaux d'automne qu'il
voit de très loin, filer là-bas, vers les pays sans neige.

— Marche !

Et les chevaux tirent, le cou en arc, les jambes
bosselées de muscles plus gros que des cailloux. À
coups réguliers, deux jets de vapeur sortent de leurs
naseaux. Trois belles bêtes épaisses et des attela-
ges anglais avec des martingales neuves, des colliers à pommeaux et des bourrures jaunes sous le
collier. Et toute cette sueur et cette santé et ce sel
et cette honnêteté qui retourne à la terre...

— Marche !

Ambroise a vingt-cinq ans, six pieds, et l'œil
plus vert et plus brillant que les feuilles de
fraises. Les filles le remarquent parce qu'il ne met
jamais de chapeau le dimanche et qu'il s'habille
avec des chemises de couleur, un peu comme une
fille. Le dimanche matin, quand les enfants du
collège l'invitent à lancer le ballon, il prend le
temps d'enlever la blouse pour que les belles voient
le vent ruer dans sa chemise. Voilà un jour qu'il

aime beaucoup, le dimanche. Le dimanche comme
la paix, la hautaine paix, la fière paix qui ne fré-
quente pas n'importe qui !

— Whoo !

Au bout du sillon, il tourne, s'en va rejoindre
l'autre bout de la planche. Il laisse souffler ses bêtes
une seconde. Il fait le tour de son travail avec ses
yeux.

— Si elle voulait seulement, la petite folle ! Hip !
Marche !

La prairie grince, résiste, et soudain se couche
sur le dos, vaincue.

Il achèverait cette planche dans l'avant-midi. Il
avait le temps, la force et le labourage était de tous
les travaux agricoles, celui qu'il préférait. Il ne dé-
testait pas non plus scier le bois, à la scie ronde,
au printemps : cette vie qui paraissait au bord des
granges où la neige fondait, les premières herbes
sur les tas de fumier, cette gomme dans le creux
de la main, et l'écho des voix et des bruits dans les
jours qui allongent. Il aimait toutes les saisons. On
peut dire qu'il mordait dans toutes les saisons comme dans des fruits, parce qu'il était heureux. Rien
de trouble n'habitait son cœur.

L'esprit à son ouvrage, il pense à Madone. Oh !
juste une seconde. Et il la chasse de son idée, comme le marin de petite barge, en mer, au croisement
d'un navire luxueux, tourne son dos pour ne pas
se laisser séduire. Gaétane ne veut pas qu'il pense
à Madone. Gaétane a raison. Gaétane, la fille du
meunier, c'est la petite barge. Elle n'a pas la proue
et la tête et le port des orgueilleux vaisseaux qui

tiennent les vagues à distance. C'est la petite barge, secouée par la vie et le sort, travailleuse et honnête, qui ne prend pas l'eau, qui est fidèle, et qui mourra à l'ouvrage en pleine navigation, une journée de semaine.

Puis il se met à rêvasser comme il arrive à ceux qui marchent sur les longs longs chemins. Qu'arrivera-t-il cet hiver pendant que les labours dormiront sous la neige ? À lui Ambroise, qu'arrivera-t-il ? Il pense à ses vieux parents, aux fêtes qui approchent, à la nuit dans sa chambre, à la terre, à ses muscles qui obéissent comme des leviers neufs. Et il lui semble que le temps de paix qu'il respire ce matin à grands coups, ne finira jamais. Bien sûr que la neige viendra et le printemps, l'eau qui coule, les sources qui se dégonflent et le soleil et les arbres épais de feuilles, mais il ne vieillira pas. Il voudrait que la vie fût toujours égale comme ce qu'il fait ce matin.

— Whoo ! crie-t-il tout à coup.

Les chevaux s'arrêtent. La pouliche étire le cou vers le sol. Il roule ses « cordeaux » aux manchons, avance en avant de ses bêtes :

— Qu'est-ce que je vois ?

Il se penche sur les labours et de ses grosses mains, il ramasse un mignon soulier de femme.

— Moi je vois ça ? Qu'est-ce que c'est ?

Il retourne le petit soulier vingt fois dans ses doigts. C'est un petit soulier rouge, à talon pointu, cuir délicat, avec, sur la cheville une petite boucle d'argent comme il en a vu déjà au pied des mannequins dans les vitrines des grands magasins de ville.

Il le soupèse, y engouffre ses doigts, tourne la tête
pour rire et le montrer à ses chevaux. Les chevaux
examinent cet objet curieux. Légère, là pouliche
blonde veut le manger ; la vieille Charmante, peu
amusée et pas du tout sentimentale, détourne franchement la tête et observe plutôt ses flancs qui
fument comme des pans de vieux mur au soleil.

Ambroise fait le geste de lancer l'objet dans les
broussailles, mais il se ravise. Il regarde au loin en
tenant le soulier sur son cœur.

— À qui cela peut-il être ? Qui a passé ici ?

Il s'accroupit dans les sillons comme un sauvage
cherche des indices et il voit sur une crête de terre,
une trace de pieds nus, de tout petits pieds. Une
femme est venue. Alors ce n'est pas un ange qui a
perdu sa chaussure. Et pourquoi pas ? La visite d'un
ange le ferait éclater de la joie du paradis. Il l'en-
fouit dans son « parka » en pensant :

— Si c'était à Madone ! Marche !

Il rit et songe à la petite folle qui ne veut pas
d'amoureux, mais qui peut-être, vaincue par le mal
d'amour est venue lancer son défi comme les belles
d'autres pays laissent échapper un mouchoir ou une
écharpe, comme les femelles des bois jettent les
longues notes d'appel dans les fourrés de silence.

———————

— Où cours-tu si vite ? demande la paysanne lors-
qu'elle voit son fils Ambroise se précipiter dans
l'escalier.

— Dans ma chambre. *Beauregard*

— Tu es malade ?

— Mais non.

Ambroise tient son « parka » roulé en paquet sous le bras.

— Le dîner est prêt, dit la mère.

Ambroise ferme sa porte de chambre, tire le petit soulier de femme et l'examine une dixième fois. Madone ! Il le dépose délicatement sur le lit, puis sur son chiffonnier, puis par terre sur la peau de mouton près de ses grosses bottes à bûcher.

— Si c'était à elle ! Elle est peut-être venue un soir, par la route du Deux et, exprès, elle l'a laissé dans un labour comme un trophée, comme un défi, c'est cela : « Viens me chercher ! »

Si c'était elle !

Il fait peur au petit soulier en levant les mains brusquement et le petit soulier ne s'envole point. Avec sa bouclette d'argent il a l'air de la petite sonnette d'église pour servir la messe, tandis que ses bottes à gros lacets de cuir ont l'allure des deux grosses cloches à cable dans le jubé.

— Tu n'as pas peur ? demande-t-il au petit pied de cuir.

Le petit soulier à bout retroussé semble faire la moue. Il ouvre le deuxième tiroir de son chiffonnier, et entre ses chemises rouges et ses bas de laine, il cache le trésor bien au fond, puis s'en va se mettre à table.

Il est distrait. Justement parce qu'il veut que rien ne paraisse, on peut lire sur son visage comme dans un livre ouvert. Il se met à rire sans motif, en se

tournant vers la fenêtre. Son père et sa mère se
regardent à la dérobée.

— Gaétane est venue ce matin, dit la mère.

— Oui ? Bon.

— Elle te salue bien.

— Bon, bon, fait Ambroise qui ne veut pas en
savoir davantage au sujet de la Gaétane qui l'aime
trop et qui l'embête à la fin avec sa hâte d'épousailles.

— Brave bête, brave bête, dit-il en parlant de sa
pouliche. Vivent les labours, rien que j'aime autant !

Il mange avec appétit. Puis à la fin du repas, il lit
dans sa tasse de thé pour rire.

— Oh, oh ! Qu'est-ce que j'aperçois ?

Il voit Madone dans sa tasse, sa lourde chevelure
fouettant le vent des soirs, et ses jupes bousculant la
nuit. Mais il ne fait part de cela à personne. Il sort
de table. Il va fumer derrière la maison sur le gros
banc où l'on épluche les jardinages, l'été. Maintenant, il voit Madone qui sort de la bergerie, un
seau au bout de chaque bras ; elle rit et disparaît
derrière la grange, dans un balancement de hanches
comme le beau navire en mer. Les deux vieux restés
dans la cuisine, se lancent des regards. Le père déplie
son journal et lit avec un petit sourire au bord de la
bouche.

Ambroise a bien hâte d'être arrivé au soir.

— Tu ne vas pas chez Gaétane ? demande la
mère.

— Pas ce soir, dit Ambroise, je suis fatigué.

Il empoigne la boule de la rampe et en bâillant
pour se donner une façon, monte l'escalier. Dans sa

chambre, il tire le petit soulier, le pose devant lui
sur la catalogne du plancher, allume sa pipe et se
berce longtemps. Il lui donne la vie, quoi, à cet
objet ! Il met le pied de la fille dedans, en rêve, et il
s'imagine voir Madone circuler dans sa chambre.
En passant dans la fumée de la pipe, Madone fait
des lassos bleus qui l'entourent, la ligotent, jouent
autour de sa taille et s'évanouissent.

Madone, la blonde du village, sans amis, sans
bonjour pour personne, la belle fille au chignon de
blé qui entre seule dans la salle paroissiale, passe le
front haut en plein milieu d'un groupe de jeunesses,
Madone qui étouffe les rires sous cape d'un seul
coup de ses yeux couleur d'encre noire. Ambroise
fixe le petit soulier à travers la fumée de sa pipe et
pense à la fille sans amour pour personne.

— Moi je l'aurai !

———

Gaétane parut le lendemain et ne resta pas longtemps. Comme une biche sent le malheur et va se
mettre à l'abri, elle flaira quelque chose qui venait
de très loin et se retira, inquiète, frileusement.

Le dimanche, après la messe, Ambroise n'eut pas
le courage d'aborder Madone. Pourtant, dans sa
chambre, (témoin le petit soulier), il avait répété
plusieurs fois une sorte de révérence, accompagnée
d'une phrase galante et simple. Témoin le petit
soulier, il avait même poussé l'audace jusqu'à la
tutoyer et à lui serrer ses deux frêles petits poignets
dans sa main. Témoin le petit soulier, il l'avait fait

asseoir sur ses genoux et après qu'elle se fut débat-
tue, il lui a dit « va-t'en » et elle est restée d'elle-
même sur ses genoux. Témoin le petit soulier, ils
avaient chanté ensemble la chanson du bouleau où
il est question d'un nom gravé dans l'arbre et des
accords dans le feuillage, que lui, galamment, avait
cueillis et lui avait dédiés.

Alors, c'est dimanche, elle est là, dans une jupe
paysanne, un chandail de couleur et un mouchoir qui
lui avait servi de chapeau, tantôt. Elle est là et il ne
bouge pas. Quelques jeunes gens ont salué Madone
de la main, mais lui, pas. Il n'a fait aucun geste. Il
l'a suivi un peu, mais déjà elle descendait la côte
et rejoignait des compagnes qui se tenaient par la
taille en marchant au pas. Qu'est-ce donc qui était
arrivé ? Il l'aimait puisqu'à y penser seulement, la
distraction l'envahissait, puisqu'à la voir il devenait
figer comme statue de sel à cause du sang qui faisait
rebours dans ses veines.

Il revint seul chez lui.

Il faisait beau dimanche d'octobre et Ambroise
dans l'après-midi, au lieu d'aller à la chasse ou à la
promenade, se réfugia dans le coin gauche de la
galerie, près des serres-chaudes où il était sûr que
personne ne le trouverait. Mais la Gaétane, tout de
neuf vêtue, le trouva.

— Qu'est-ce que tu as ?

— Je n'ai rien. Va-t'en, veux-tu ?

Quand elle fut hors de vue, elle pleura dans la
petite fourrure grise de son manteau neuf.

À la prière du soir, à l'église, la mère d'Ambroise
dit à la délaissée :

— Il te reviendra.

Mais Gaétane fit une moue triste et laide comme quand on n'a plus de pleurs et qu'on regarde un mort que l'on a aimé.

Un midi, en ouvrant la porte de la cuisine, Ambroise, de retour des champs, lut d'un coup d'œil que le secret du chiffonnier était connu. Il s'en fut en haut pour vérifier. C'était cela. Sa mère savait. Au dîner, il eut honte et évita d'être seul avec elle. Après le repas, le bonhomme se coucha un petit quart d'heure. La mère en profita pour dire à son fils :

— En faisant le ménage de ta chambre ce matin, j'ai vu. C'est sérieux avec cette Madone ?

— Qu'est-ce que vous voulez dire ? Je ne comprends pas.

Un flot de colère comme un vent qui s'engouffre dans une porte lui monta à la figure. Il s'en fut aux écuries à grands pas en donnant des coups de pieds à une vieille brouette qui lui barrait le chemin. La mère dit à son vieux quand celui-ci fut debout :

— Ça y est.

— Quoi ?

— Il est mordu pour Madone. Il a un de ses souliers, à cette garce.

Le bonhomme Cyprien haussa les épaules. Toutes ces histoires le faisaient sourire. Dans le fond, il n'était pas fâché d'avoir un fils qui fît pleurer les filles, car lui, dans sa jeunesse, il avait pleuré pour des filles.

Le soir, Ambroise appelé par la route, sortait sans rendez-vous, sans but. Il marchait dans l'automne

en fumant sa pipe. Quand il voyait une planche de
glace devant lui, il partait à la course et se laissait
glisser comme un enfant. Et il aimait le froid de
l'automne, la tristesse de l'automne, l'oiseau gris de
l'automne, l'oiseau malade qui n'a pu suivre les
autres dans la migration. Tout dans la nature, épou-
sait sa peine : la mort dans les arbres, la mort dans
les champs, la mort dans le ciel. Du gris, du gris
partout et ça allait bien à sa mort dans l'âme.

Gaétane se languissait.

— Il ne va plus te voir ? lui demanda la mère.

— Mais non, répondit la fille du meunier. Depuis
un mois il ne vient plus.

— Il faut que tu saches, reprit la mère après avoir
réfléchi.

Alors, derrière sa main en écran, elle dévoila à la
petite le secret du soulier.

— Attends, tu vas le voir.

Elle alla le chercher et le lui montra. Gaétane s'en
recula comme d'une chose qui mord. Sans trembler,
sans pleurer après cette confidence, elle se retira :

— Je m'en doutais. Maintenant, moi, je m'en vais.

— Espère, dit la vieille.

Rendue chez elle, Gaétane eut le grand goût de
pleurer pour vrai. Le grand goût des larmes quand il
n'y a plus d'espérance qui arrête le flot des larmes
comme une petite digue. Maintenant le grand goût
de pleurer qui nous vide de douleur. Un lit, un
oreiller, une femme dedans qui laisse couler sa peine.
Comme à la libération des rivières, l'eau coule et fait
baisser la pesanteur de la peine. Mais après qu'a
coulé la peine, il reste un autre vide qui est écrit

dans la sécheresse des yeux, dans le creusement des prunelles, dans l'abattement du corps, dans ce penchement des yeux vers le sol comme si le soleil et la vie et l'espoir étaient sous le pied avec les choses mortes.

Gaétane ne parut plus nulle part. Ni chez l'épicier, ni au marché, ni à l'église, ni en aucun lieu. Elle gardait la chambre.

Puis, ce fut le bonhomme Cyprien qui commit la maladresse de raconter l'affaire du soulier, au laitier, son voisin. Histoire de causer en transvidant le lait.

Deux jours plus tard, tout le village sut et donna son interprétation au soulier dans les labours. Un soulier dans les labours ! Une femme qui aime Ambroise ! Les rencontres de nuit ! Et les cachoteries et le scandale ! Ambroise était montré du doigt par les filles ; les garçons l'enviaient ; les vieux le traitaient de malin. Et les vieilles filles dans les cercles dévots grignotaient la rumeur avec délice, la recomposant, la refaisant, la déshabillant, la dégustant à petites gorgées, y trempaient leur cœur sec en grande soif de mal. Ambroise s'abstint lui aussi de paraître en public. Sa mère lui dit un soir :

— Ambroise, si tu as commis des choses, vaut mieux le dire.

Ambroise se fâcha et frappa du poing sur la table, un si grand coup que la mère cria en mettant sa main sur sa bouche.

— Que veux-tu que j'aie commis ? C'est un soulier que j'ai trouvé dans les labours !

Il devint maussade et détestable, d'égal et de paisible qu'il était. Au dimanche suivant, après la messe,

la pauvre mère prit la petite rue des arbres et vail-
lamment frappa chez Madone. La blonde jeune fille
aux yeux couleur d'encre noire lui rit au nez.

— Je ne connais pas votre lourdaud, répondit-elle,
qu'est-ce que cette histoire de soulier ? Je quitte le
village dans deux jours, madame, si cela peut vous
réjouir.

— Voilà. C'est bien cela, conclut la mère en reve-
nant de sa visite. Ils se sont entendus ensemble et à
l'âge qu'ils ont, les secrets sont bien gardés !

Quand Ambroise sut que sa mère était allée chez
Madone, il pencha la tête tristement comme quand il
était tout petit avec un gros chagrin :

— Pourquoi avez-vous fait cela, maman ?

Deux jours plus tard, Madone partit.

— Pourquoi avez-vous fait cela ? hurla-t-il à sa
mère.

— Ce n'est pas moi ! sanglota-t-elle.

Ambroise se mit à détester la terre et le canton et
sa chambre et ses parents et tout. Un matin, il fit son
paquet, avec le soulier au milieu, et monta aux
chantiers.

Il n'allait jamais aux chantiers, parce qu'il n'avait
pas besoin de gagner. D'ailleurs les travaux de la
ferme exigeaient sa présence continuelle. Il se fit
donc ami avec les habitués des bois et apprit à jurer
et à casser des gueules. Finie la terre ! La journée de
labeur, le mélange des grains, la consultation dans
les livres agricoles, les plans d'amélioration, l'orgueil d'un bien qui donne contentement et bonheur.
Fini. Le bois. Le groupe d'hommes. La hache. Le
campement. Le risque. La petite poignée d'argent et

le vide.

La neige tomba.

Le père se vit seul et vieux. Il réfléchit longtemps, se défit de son troupeau (lui qui avait travaillé vingt ans pour ce troupeau) et un peu avant
Noël, il vendit la terre au voisin laitier qui guet-
tait l'occasion depuis des années. Les deux vieux
se retirèrent au bord du village dans une petite
maison basse. Une maison basse. Trop basse, trop
petite pour eux, habitués à la grande cuisine et aux
chambres hautes et aux cent vingt arpents de pos-
session. L'hiver passa, tenace, tranquille et mono-
tone comme l'eau qui coule. Le vieux rôdait autour
de la maison et regardait dans la direction des
grandes terres. La vieille priait et pleurait.

Un soir, sur sa chaise elle marmottait des prières.
Elle s'arrêta, sachant que son vieux l'observait. Alors
elle se mit à lui raconter des choses drôles, des
choses de l'ancien temps. Puis elle se repencha sur
son rosaire et marmotta des prières. Puis elle pleura. Puis elle regarda longtemps par la fenêtre où
était assis le noir de la nuit. De la tête, elle fit signe
au noir de la nuit, et ne bougea plus. Elle était
morte, les lèvres entr'ouvertes sur un avé. Elle en
avait assez de cette vie !

Le fils ne parut pas au « service » parce qu'il
sut la nouvelle trop tard. C'est de la hache qu'il
joua sur les arbres pour ne pas penser à ces dénoue-
ments bêtes de vie compliquée et stupide. Plus de
paroles sortaient de lui. Plus de gestes. Plus rien.
Il avait maigri et vieilli. Un matin, il chaussa ses
raquettes, fourra la hache dans le paqueton et dit :

— Je m'en vais.

— Où ?

— Au bout de mon chemin.

On ne le revit jamais plus.

Gaétane, mal guérie de son chagrin, se maria avec un fils d'ivrogne du village, comme une somnambule. Le printemps après la drave, le fils ne se montra pas dans le canton. Le vieux s'informait aux gars qui en revenaient et ceux-ci disaient :

— Il doit être aux États.

Mais les hommes des bois savaient bien que la casquette trouvée sur des ossements, à sept milles du campement, était la sienne.

Vinrent les labours du printemps et la préparation des semailles. Le laitier frappa chez le père d'Ambroise un matin et lui dit :

— Cyprien, j'ai une chose à te raconter, mais une chose grave.

Le laitier s'en fut dehors un instant, attacha son cheval, revint et dans la chaise berceuse, commença :

— Donc, hier matin, dès l'aurore, mon engagé labourait sur ta terre. Il vit une femme de loin qui marchait sur les labours. Elle était pieds nus et tenait ses deux souliers attachés à son poignet. Elle chantait : « Je fais deux fois par an le pèlerinage à pied hi hi, pour les morts. Je le fais à l'automne, je le fais au printemps, je le fais en passant sur les labours, hi hi !

Le vieux dit :

— Laisse-moi respirer un peu. Une femme, tu dis ?

— Oui. Une femme pieds nus sur les labours avec
le châle rouge sur la tête et les chaussures au poignet. Elle a raconté qu'elle avait perdu son soulier
l'automne d'avant. C'était la raison de la corde au
poignet.

Le vieux fit le geste brusque de celui qui en a entendu assez.

— Qui ?

Le laitier dit en se levant :

— Farouche, la folle du Petit Pont.

— Va-t'en, laitier, dit le bonhomme.

Et le laitier se retira à reculons, les mains en
avant comme quelqu'un qui a peur d'une explosion.

Le soir, on trouva le vieux, assis en plein milieu
de la cuisine, sur la même chaise où sa vieille avait
trépassé. Immobile, les cheveux en désordre, les
yeux vagues et un petit rire dans le coin gauche
de la bouche, il disait :

— Farouche, folle ! Folle de Farouche ! Femme
qui tue ! Femme qui tue !

Le noir de la nuit était assis dans la fenêtre et
lui faisait les mêmes signes qu'il avait fait à sa
vieille.

AU CIRQUE

LA nuit dernière, un village a surgi du fond d'un champ abandonné. Un village en carton peint comme un décor de théâtre, sillonné en tous sens par des rues illuminées. Pigeons de tentes, enseignes burlesques, roues magiques, balançoires géantes, et, à travers tout ça, cris joyeux de foule agitée, odeur de friture et musiques folles. Le cirque est arrivé avec ses chevaux de bois, ses nains, ses sauteurs de la mort et ses belles filles.

Un cri de bête, un appel de clairon, le claquement d'un fouet, une avalanche d'applaudissements, un roulement de tambour excitent les gens d'une estrade à l'autre.

Derrière un écran bariolé, des femmes à peau brune caressent leur collier de serpents vivants. Ici, c'est la longue chenille, là-bas un magicien, là, la masse à clochette, plus loin l'avaleur de sabres, la femme-poisson, l'homme à trois pieds, le mangeur de feu, l'équilibriste, l'enfant cornu et toutes ces curiosités monstrueuses qui se laissent regarder avec indifférence.

Au centre du village éphémère, surveillée par des hommes qui se promènent sans parler, s'élève la grande tente : plateau des clowns, des singes, des

acrobates, des ours savants, des danseurs, des gira-
fes vêtues en cuisinières, des chevaux que montent
des chiens en chandail. En plein milieu de la grande
tente cachée sous une toile, c'est la cage de fer avec
ses tables, ses juchoirs énormes : la scène des fauves, dits les féroces.

À la lueur jaune d'un fanal, près duquel sont pendus des fouets, les animaux sauvages, d'une prison
à l'autre, attendent leur tour au bout des tunnels en
gros bois.

Un phoque gras, luisant, content de lui, se pré-
lasse, se pourlèche, se dandine, répète son acte au
bord d'un bassin d'eau froide.

Une girafe, la tête dans l'arbre, mange des feuilles, compte les étoiles, évite de regarder en bas.

Un éléphant centenaire attaché par la patte, immobile comme un rocher dans les demi-ténèbres,
observe à sa gauche un jeune lion des déserts qui
s'ennuie et qui pleure en fixant le vide à travers
ses barreaux :

Lion. — Non ! Non ! Non ! Je ne veux pas y
aller ! C'est fini ! C'est assez ! Ma race n'est pas de
celle qui obéit ! C'est une profanation ! À moi le
désert !

Éléphant. — Prince...

Lion. — Ce soir, il arrivera un malheur !

Éléphant. — Prince...

Lion. — Il n'y a pas de prince ici, mais des bouf-
fons !

Éléphant. — Calme-toi.

Lion. — Tout à l'heure, je me tuerai !

Éléphant. — Ce n'est pas ainsi qu'il faut parler.

Ah ! Comme je regrette d'être si ignorant et si lourd ! Que faut-il faire ? J'ignore la morale mais je suis sûr que ce n'est pas bien ce que tu dis là. Il ne faut pas se suicider.

Lion. — Pourquoi ?

Éléphant. — Girafe, viens m'aider, le lion veut faire un malheur.

Girafe. — Qu'est-ce que c'est ?

Éléphant. — Il veut se tuer.

Girafe. — C'est tout ? Je comptais les étoiles, ne me dérangez pas pour des bagatelles.

Éléphant. — Lion, écoute-moi, ne pense pas au désert.

Lion. — Que faisons-nous ici dans des cages ? Pour qui le fouet de plomb qui pend ici dans l'arbre ? Tu t'ennuies toi aussi, malheureux !

Éléphant. — Non.

Lion. — Tu mens. Dis la vérité. Tu t'ennuies de la jungle et la girafe aussi et l'hyène aussi. Avouez-le donc ! Ah ! La liberté !

Éléphant. — ...

Lion. — Le sable ! Les marais tièdes et les vignes parfumées !

Éléphant. — Un peu...

Lion. — Après avoir dormi la durée d'un soleil : la sortie du repaire. Les étoiles. Le silence. L'oreille au sol. Le pas lourd des bœufs qui vagabondent. La brise. Les senteurs dans la brise. La course en cercle savant. L'approche d'arbuste en arbuste... Là-bas, les grands cornus qui broutent sous la lune. Le choix. En choisir un, un jeune, un beau à croupe large qui saura bien se battre et surtout bien mou-

rir ; sur le sable complice, ramper, couler, glisser ;
soudain rugir, jeter le cri d'un horizon à l'autre, le
cri terrible et long et dur comme la guerre ; desser-
rer prestement tous ses nerfs en même temps, s'é-
lancer et bondir les griffes en avant, les rentrer dans
la chair du traqué qui se cabre, s'accroupir sur son
dos en tenant l'équilibre, et filer, et filer ; sentir le
vent des sables aplatir sa crinière, passer comme
une trombe en selle sur un roi ; une bête au front
puissant, aux jarrets dépliés, aux naseaux grands
ouverts, qui secoue le désert de ses bonds affolés ;
au milieu des sanglots, des chutes, des ruades, le
saigner vivement, culbuter avec lui, lui déchirer
la gorge, rouler comme un tonnerre, épuisé mais
vainqueur, sans haine, doucement, s'enivrer du vin
rouge, du vin chaud, du vin de vie... À ce moment,
savoir que de là-haut sur une roche plate, la noble
compagne à la robe luisante, aux yeux méchants et
beaux, assiste à tout cela depuis le commencement.

Le taureau étant mort, renversé, étendu, s'en é-
carter d'un bond ; alors tourner sa tête du côté de
la roche, inviter sa princesse à ouvrir le banquet. La
voici, rampante, joyeuse, émerveillée. Elle se frôle
contre vous, lèche vos yeux parfois et s'abreuve à
la plaie. Et dans l'affreux silence qui va jusqu'aux
étoiles, pousser le hurlement du monarque indomp-
té ; et partout alentour jusqu'au bord de la jungle,
savoir que tous les fauves ont incliné la tête !

Mais obéir à un fouet, à un homme, à la foule ?
Moi, me faire applaudir loin d'une arène sauvage ?
C'est une profanation ! Je n'obéirai plus. Dans mes
rochers là-bas, face aux dunes légères, il y a les

troupeaux, le silence, la nuit, la jungle et elle, ma princesse qui m'appelle, m'attend, se souvient. Où donc est le chasseur ? Sans moi, le désert n'a plus de majesté. J'ai trahi. J'ai brisé le plan de la création. Je ne suis pas un mort, je vis, tu le vois bien. Mieux vaudrait que je meure !

Phoque. — Bravo !

Lion. — Qui a applaudi ?

Éléphant. — C'est le phoque au bord de son bassin.

Lion. — Avec qui parle-t-il ?

Éléphant. — Avec personne. Il répète son numéro.

Lion. — Il s'applaudit lui-même, le cabotin ! Tu vois où nous en sommes...

Éléphant. — Écoute prince, tu souffres parce que tu te crois devenu un roi déchu, mais reste ta fierté...

Lion. — Moi, devenu un saltimbanque ? Imiter des trucs de chat civilisé ? M'asseoir sur un banc et faire « la belle ? » Lever les pattes l'une après l'autre comme un petit chien ? Sauter sur des juchoirs, rouler sur un baril dans une cage en fer ? Moi, un fils de roi ? Moi, qui avais le désert comme scène, la jungle comme coulisse et les fauves comme camarades ? Non ! Jamais ! Ce soir...

Éléphant. — Tais-toi !

Lion. — La mascarade est finie. Je ne suis pas un pître. Ma honte est devenue trop grande.

Éléphant. — Prince, si tu te suicides, moi, l'ancien ici présent, moi, le loyal qui t'a suivi en captivité...

Lion. — Le diable t'emporte !

Éléphant. — À Buenos-Aires un soir, j'ai failli faire une bêtise...

Lion. — Tu mens.

Éléphant. — Je fais ce que je peux. Je voudrais te consoler.

Lion. — Tu t'y prends mal. Tu es balourd.

Éléphant. — Hé ! Vous autres ! Vous ne vous rendez pas compte ? Le lion a des idées noires... faut l'empêcher... faut le remonter...

Phoque. — Très bien !

Lion. — Dis-lui de s'approcher, lui.

Éléphant. — Phoque, le maître veut te parler.

Phoque. — Qu'y a-t-il ? J'entre en scène dans cinq minutes.

Lion. — Pourquoi as-tu applaudi ?

Phoque. — Ne voyez-vous pas que je suis à répéter ? J'applaudis pour me féliciter.

Lion. — Cabotin !

Phoque. — Exact ! Je m'applaudis parce que personne ne m'applaudit, moi. Je suis un cabotin ! Ensuite ?

Lion. — Tu me dégoûtes !

Phoque. — Est-ce que je te fais ombrage ?

Lion. — S'il n'y avait pas de ces barreaux de fer, je t'aplatirais d'un coup de patte.

Phoque. — Dans l'eau, sais-tu que je te noierais, lionceau !

Lion. — Ne m'appelle pas lionceau !

Phoque. — Au lion, je dis : lion ; au petit du lion, je dis lionceau.

Lion. — Tu m'as insulté !

Girafe. — Silence, en bas, les gamins ! Qu'est-ce

qui vous prend ? Comptez donc les étoiles tous les
deux, et cessez de vous engueuler comme de tur-
bulents collégiens. Ayez un peu de respect pour
vous-même, fils des solitudes, vous jasez comme
des inventions tapageuses. La civilisation vous en
a montré de belles manières ! Si tu veux te suicider, toi, fais-le donc sans déranger tout le monde.
Si tu avais des souvenirs, tu regarderais les étoiles
dans le soir, et les étoiles comme des miroirs te ren-
verraient le désert. Pour ne pas tenir à la vie plus
que tu y tiens, tu n'as pas vécu ! Ne vois-tu donc
pas que c'est un soir pour penser à sa jeunesse ?
Fais donc silence. Ou, si tu veux causer avec l'ancien, fais-le sans rugir.

Le phoque a la conscience de répéter son numéro ; il a eu le temps de s'apprivoiser, lui...

Lion. — L'incliné ! On ne m'apprivoisera pas
moi !

Phoque. — Tu es un lâche !

Lion. — Traître ! Je t'ai vu lécher la main d'un
homme.

Phoque. — Parce que j'en ai pitié ! Pauvre petit !
Tu ne connais pas l'homme, tu ne connais pas la
vie.

Écoute-moi, lion, je suis plus vieux que toi. Si tu
avais vécu, tu ne parlerais pas de suicide. Permets
que je te dise... Je suis venu au monde en plein cirque, moi. J'ai suivi mon père dans son grand numéro ; j'ai connu très jeune les rubans et les boules, la
chaleur des lumières, l'odeur des grandes foules,
et les soirs de dépit et les soirs de triomphe. Tu n'é-
tais pas au monde que, moi, du nord au sud, de

l'est à l'ouest, passant par les villages, les villes, je jouais tous les soirs...

Lion. — Tu étais acclamé ?

Phoque. — Et je recommençais...

Lion. — Tu étais acclamé ?

Phoque. — Le métier était dur...

Lion. — Réponds donc !

Phoque. — Non. L'on me sifflait. Dans mon bassin parfois, vous me voyez pleurer ! Voilà.

Lion. — Et même si l'on t'avait acclamé, ces acclamations t'auraient suffi ?

Phoque. — Oui.

Lion. — Tu vois bien que nous ne sommes pas de même race.

Phoque. — Ah ! Comme tu méprises l'homme !

Lion. — Ma vérité est de vivre loin de lui !

Phoque. — Tu devrais l'aimer ! Moi, je l'aime, mais je lui apporte si peu ! Je suis gras, maladroit, chauve, infirme et laid ; je vais moitié rampant et moitié titubant ; moi, je suis un bouffon. Je souffle dans des flûtes, je porte une cravate, je nage sur le dos, je jongle avec des boules, c'est tout.

Je voudrais bien bondir, faire des sauts et des « belles », hypnotiser la foule rien qu'à rouler les yeux, balancer une crinière dans des attitudes de roi ; obéir à un fouet, imposer le silence, rugir d'une voix forte, voler tous les regards, dire un long monologue, montrer le désert rien qu'en montrant mon flanc : Je suis un numéro pour les petits enfants ! Si tu savais, lion, ce que je donnerais pour avoir ta tête, ta prestance, ta voix, tes souvenirs, tes gestes, ton calme ; j'entrerais dans la cage, superbe et dédaigneux ; et j'apprendrais aux gens ce que c'est que le désert. Après mon numéro, ils s'exclameraient : « Quel mystère, son pays ! »

Lion. — Non. Ils ne m'auront pas !

Phoque. — Les hommes veulent qu'on leur ouvre un coin de poésie, qu'on leur montre des choses inconnues, délivrantes, pour leur faire oublier la fadeur de la terre, la longueur du trajet, la pesanteur des soirs. Je ne parle pas de moi, je suis un cabotin, mais vois-tu ce que tu leur apportes...

Le malheur, vois-tu, lion, c'est que ce sont toujours les sans-talents comme moi, qui aiment le plus leur métier. Ceux qui ont du talent sont toujours en arrière. C'est des lions qu'il nous faut, des terribles, des fougueux, des nobles en prestance, en pensées, en paroles ! Ta poésie est celle d'un pays sans artifice. Tes mœurs sont nature. Tu es un primitif, c'est-à-dire un toi-même. Tu n'es pas esclave des lois, mais sujet fidèle de la loi éternelle dans l'éternité des choses. Tu n'as d'école que celle de la liberté....

Lion. — Et c'est pourquoi je n'ai rien à faire ici.

Phoque. — Apporte à l'homme cette preuve qu'il y a encore sur terre des individus, et que ces individus sont propres...

Lion. — Parce qu'ils n'ont pas connu l'homme. Non. Moi, je ne peux améliorer l'homme. Mais lui peut me gâter.

Phoque. — Orgueilleux !

Lion. — Cabotin ! Apprends tes trucs, fais l'obéissant. Rampe, mollusque. Moi, je reste debout.

Phoque. — Oui. Je suis un obéissant, un faux,

comme tu dis, un cabotin peut-être. Évitez de me le
dire. Je n'ai jamais vu les glaciers bleus de mon
pays, jamais. Mon berceau, mon enfance, ma jeunesse, ma vie, c'est le cirque. Je ne tourne que des
grimaces, j'y mets toute mon âme, je les fais de mon
mieux, mais souviens-toi bien qu'elles plaisent aux
enfants. Alors...

Lion. — Où va-t-il ?

Éléphant. — Il retourne à son bassin.

Est-ce que tu tiens à ma compagnie ?

Lion. — Non. Ne me parle pas.

Éléphant. — Tu n'es pas blessé ? Je veux dire...
ses paroles...

Lion. — Elles sont belles ses paroles. Mais sa civilisation, je lui laisse. Elle me souillerait !

Éléphant. — Peut-on savoir...

Lion. — Laisse-moi, veux-tu ? .

Éléphant. — Bon. Je voudrais te consoler et puis
je ne sais pas les mots !

———

Girafe. — Hé ! Toi, le phoque...

Phoque. — Qu'est-ce que c'est ?

Girafe. — Je peux te parler ?

Phoque. — Vas-y.

Girafe. — Que penses-tu de moi ?

Phoque. — De toi ?

Girafe. — Comme comédienne.

Phoque. — Quelle importance peut avoir ma réponse ?

Girafe. — Je te croirais.

Phoque. — C'est donc un soir pour se faire de la peine l'un l'autre ?

Girafe. — Je comprends. Je suis une caricature ?

Phoque. — Toi, moi, l'éléphant, le zèbre, l'ours, le singe, nous ne sommes pas des comédiens.

Éléphant. — Ni moi ?

Phoque. — Ni toi.

Éléphant. — Ça ne me fait pas trop de peine.

Phoque. — Nous sommes tous des figurants. Le drame, le centre, le clou, le maître, c'est lui, là dans la cage. S'il était moins orgueilleux il aurait pitié des hommes.

Lion. — Je ne voudrais pas des hommes, même pour mon cirque à moi !

Phoque. — Eh bien moi, je suis le cirque des hommes. J'appelle honorable la profession de les amuser un peu.

Lion. — Un roi n'amuse personne.

Phoque. — La cloche ! Sois raisonnable ! La cloche nous appelle. En scène. C'est notre tour, voyez, ils ont besoin de nous. Ma cravate est défaite... Lion, ta cage est illuminée. La cloche...

Éléphant. — Prince, on y va ?

Girafe. — Où est mon bonnet ? Mon bonnet ?

Phoque. — Voici le dompteur. Lion... ne fais pas cette grimace.

Girafe. — Lion, ne te mets pas en boule.

Éléphant. — Prince, sois docile... que fais-tu au fond de ta cage ?

Phoque. — La cloche, la cloche. Lion... ne bondis pas sur l'homme.

Girafe. — Lion, insensé... que fais-tu ?

Éléphant. — Prince...

Phoque. — Arrête ! La cloche...

Girafe. — Arrête !

Éléphant. — Arrête ! Prince...

Girafe. — Insensé ! Tu l'as tué !

Phoque. — Il l'a tué !

Girafe. — Il l'a déchiqueté !

Éléphant. — Meurtrier !

Girafe. — Tu as tué un homme !

Phoque. — Un homme ! Tu l'as tué ! Et la cloche...

Girafe. — Mon bonnet est tombé dans le sang !

Éléphant. — Prince, maintenant que regardes-tu, au loin, à travers les barreaux ?

Lion. — Un roi qui retourne au désert.

Girafe. — Fou ! Il a tué !

Phoque. — Et la cloche qui sonne toujours... Oui, j'arrive... Vas-y cabotin, prends ton élan. En scène !

Girafe. — Attends-moi. Je jouerai sans bonnet...

Lion. — Maintenant, moi, je vais dormir.

Éléphant. — Tu ne te réveilleras plus.

Lion. — J'ai joué le numéro que je devais jouer. Bonsoir.

Éléphant. — Hé ! Vous autres ! Attendez-moi...

NICLAISSE

LE soleil cuisait les fermes depuis treize jours. Partout du gazon jauni et des labours en cendre.

Les après-midi étaient couleur de fièvre.

La tôle des toits brûlait comme des ronds de poêle.

Les animaux, langue pendante, mûgissaient derrière les jardins fanés.

Les hommes marchaient dans les ruisseaux presque vides et se versaient sur la tête des chapeaux de paille, pleins d'eau.

Le foin cassait dans les champs. Les nuits collaient comme une sueur, et les pauvres chevaux pétrissaient le macadam de leurs crampons.

Plusieurs routes de sable étaient condamnées à cause de la poussière que soulevaient les voitures.

Des vagues de mouches terrassaient les troupeaux. Les poules s'écrasaient à l'ombre sur le ciment froid des étables et dormaient, le bec ouvert.

Tout était assoiffé. Les sources montraient leur ventre brillant et sec comme un papier sablé.

En chaire, le curé avait dit : « Faisons une neuvaine ».

Et tous les soirs à huit heures, de partout à la

fois, l'esprit des habitants montait chez le bon Dieu pour Lui rappeler que les rivières baissaient.

Le samedi suivant, vers cinq heures du soir, la pluie vint.

Tragique, tapageuse, précédée d'un vent agité comme une mise de fouet, cassant les vitres, culbutant les cabanes en affolant les bestiaux. Un vent de colère qui encerclait les petits arbres du verger pour les sortir de terre d'un coup et les souffler plus loin dans des tourbillons fous. Le diable était dans le vent. Les poulins en liberté partaient ventre à terre, la crinière mêlée, et comme des possédés, s'assommaient sur les clôtures.

Chez nous, toutes les fenêtres de la maison étaient closes. Par précaution, on avait enlevé le courant électrique. Groupés dans la cuisine demi-sombre, autour de la table sur laquelle brûlait un cierge bénit, la famille priait, tout bas.

Il ne faisait ni noir, ni clair. Il faisait jaune, couleur de cierge, et chacun avait un drôle de visage. Les enfants cachaient le leur dans la robe des grandes sœurs, et les grandes sœurs, pâles, guettaient le vent qui reniflait sous la porte.

Seul, le père se dérhumait à chaque avé, comme si c'eut été la prière du soir, de n'importe quel soir. Une prière comme une autre. Il faisait le brave. Il était brave aussi.

Ce fut lui qui parla le premier, le chapelet étant fini.

— Asseyons-nous. Attendons.

Il n'avait pas achevé sa phrase que des paquets de feu comme des poignées de pétards géants claquèrent tout le tour de la maison. Pour une seconde, on se serait cru en plein midi. Alors, on entendit comme une carrière de roches au loin qui déboule sur la vitre et qui se rapproche. La terre tremblait. Les enfants se mirent à crier. Et moi, le bruit passé, j'eus envie de dire : « La pluie s'est fait un trou, elle s'en vient », mais je n'en eus pas la force.

La mère était à genoux. Ses lèvres seules bougeaient. Son front était sans plis et le chapelet roulait dans ses doigts, grain par grain.

Quelqu'un souffla la chandelle. En même temps plusieurs longs éclairs vinrent nous piquer la vue, comme chez le photographe. Aussitôt, cette interminable explosion sur nos têtes, qui ne tombait jamais... J'ai failli crier : « La maison est en feu ! » Mais non, c'était l'odeur du cierge.

Maman se leva lentement, en écrasant la paume de ses mains sur la table. Elle nous regarda un par un, avec tendresse. Et son regard disait : « J'ai tout arrangé, ne craignez pas, les anges m'ont dit qu'ils veilleraient ! » Puis se tournant vers mon père, elle questionna doucement :

— Où est Niclaisse ?

En effet, Niclaisse, l'engagé, n'était pas avec nous.

Moi, j'eus un serrement de cœur. Je le croyais si bien à gauche du poêle, à sa place ordinaire, dans le coin le plus sombre, face à la boîte au bois, mais non. Où était-il ?

Sans s'énerver, le père répondit :

— À la grange. Je l'ai laissé là, tantôt.

Je traversai la cuisine et m'approchai du châssis de la salle pour regarder vers l'étable.

En arrivant à la fenêtre, un gros éclair brilla sur les bâtiments, un seul. Et j'aperçus les nuages en furie, se rouler l'un sur l'autre. Il faisait noir déjà. La pluie commença à tomber dans les vitres. Le père cria :

— Ça y est.

Et la mère ajouta, pour elle seule, presque tout bas :

— Merci ! Sauvés ! Merci !

Puis elle prit son chapelet, son cierge bénit et gagna sa chambre près du salon, un enfant dans le creux de son coude.

Oui, il pleuvait. Des seaux à la fois. Comme si des milliers de marins vidaient un bateau qui coulait quelque part, au-dessus de la maison. Parfois un éclair jaillissait, comme un coup de fouet, pour violenter l'orage. Je m'en souviens d'un, entre autres qui brilla longtemps. J'eus le temps de voir notre banneau de travail, le derrière en l'air, qui se faisait arroser devant la grange. Quelque chose comme un vêtement pendait sur un de ses piquets : je reconnus le gilet de Niclaisse, son gros gilet de laine.

« Il pleut trop pour qu'il sorte de la grange », pensais-je. L'orage redoubla.

J'eus envie de rire, à cause de mon père qui disait dans la cuisine :

— Les vaches vont donner de l'eau.

Il s'habillait pour sortir. Il prépara ses bidons, sortit, attela ses chiens, et dix minutes plus tard, je le vis descendre dans la tourmente comme dans une cave.

Je montai à ma chambre et je lus.

Au bout d'une heure, je n'entendais plus la pluie.
Tout à coup sur mon livre, un rayon de lumière vint
se poser : une patte de soleil s'était glissée par ma
vitre pour m'inviter à sortir. Je m'habillai chaude-
ment, plongeai les jambes dans des grandes bottes
en caoutchouc. Je me serrai les épaules dans la laine
et je sortis, heureux comme un petit gars qui va barboter dans l'eau. Le ciel était bleu comme du raisin
bleu. Infiniment pur. La terre montrait ses lèvres
humides, satisfaites. Tout était saoulé d'eau. Jusqu'aux plus petites herbes qui dormaient la tête en
bas. Des hirondelles de grange buvaient à même les
feuilles de rhubarbe.

Tout en marchant et en aspirant jusqu'au fond, je
m'étais rendu au banneau. Je décrochai le gilet brun
de Niclaisse. Il était lourd comme si tricoté en laine
d'acier.

Je le tordis dans mes deux mains en commençant
par le collet. Rendu aux poches, je sentis quelque
chose de mou : c'était sa blague à tabac, pleine d'eau
comme une éponge. La face vers la grange ouverte,
je criai :

— Niclaisse, viens fumer.

Pas de réponse.

Le gilet au bout du poing, j'avançai vers l'étable.
Personne. Je regardai dans les crèches, on ne sait
pas des fois, il aurait pu s'endormir dans le foin.
Personne. Dans la tasserie non plus. Personne.

Je ne m'inquiétai pas d'abord. Il devait être autour.
Peut-être chez le voisin.

À la maison, où je m'informai, aucun n'avait vu
Niclaisse. Une de mes sœurs dit :

— Il doit être au train avec le père.

J'enjambai un vieux bicycle à pédales, et histoire de visiter les champs mouillés, je pris le chemin des terres.

Je suivais les pistes de chiens, toutes fraîches, dans la vase. L'air était bon, le soleil tiède, et les clos dégouttaient. Au bouleau, je croisai le père qui revenait, à genoux sur ses coussins de poche entre ses bidons de lait.

— Vous n'avez pas vu Niclaisse ?

— Mais non. Je suis tout seul. Il n'est pas à la maison ?

— Non.

— Te rends-tu au ruisseau ?

— Oui, que je répondis. Je me promène.

Et on se sépara.

Debout sur mes pédales, je grimpai la butte. Sur le haut, j'arrêtai. Je sortis de ma poche une moitié de cigarette, que j'allumai et je me suis laissé descendre dans la côte. Tout était vert, humide, neuf. Un oiseau noir, sans voix, me précédait le long du clos, en sautant d'un piquet à l'autre. Rendu au pont, il tourna vivement, comme effrayé.

Le ruisseau était haut, gonflé, emportant des ronces et des crachats blancs. J'étais heureux. Je pris ma cigarette et la culbutai dans l'eau. Elle partit sur le courant à la dérive, avec les ronces. Et je sentis un grand bonheur dans moi. Rien autour que la paix.

Je m'emplis les poumons d'air et je criai à ma force, un grand cri de joie qui me secoua tout entier.

Puis, à pied, je courus sur le pont en agitant les bras pour me dégourdir.

Soudain, j'arrêtai net, surpris, comme paralysé. À cinquante pieds de moi environ, sur la gauche, qu'est-ce que je vois ? Mon farceur de Niclaisse, debout, le dos tourné, les deux mains sur une pelle, qu'un de ses pieds enfonçait dans la terre noire. « Que fait-il là ? A-t-il travaillé tout le temps de l'orage ? » Son chapeau dégouttait. Je m'approchai en le sifflant. Il ne bougea pas. Mais je le connaissais si bien : il était malin, rusé, plein de tours.

Pauvre Niclaisse. Il n'avait pas perdu son temps. Sur une longueur de trente pieds environ, il avait creusé un fossé de drainage, où les rigoles déjà se déversaient.

— Niclaisse, que je criai.

Pas un mot, ni un geste. Ça y est. Il va me jouer un tour. C'est impossible qu'il ne m'entende pas, je suis à dix verges de lui. Donc, il ne veut pas répondre, c'est bon.

Puisque c'est ainsi, je vais le surprendre et c'est moi qui lui jouerai le tour. Descendant sur la droite, je fis un croche le long des herbes en marchant à quatre pattes pour ne pas être vu. J'étais trempé : qu'importe. Je m'avançai comme un voleur, et quand je fus à sa portée, je surgis d'une talle d'aulnes en criant « hooo ! » avec une voix comique. Rien. Il ne bougea pas.

— Niclaisse ?

J'étais face à lui. Je vis ses yeux penchés sur sa pelle. Sa pipe dans ses dents, éteinte. Une goutte d'eau lui pendait au bout du nez. Il avait deux rides dans les joues. La peur me prit. La voix me trembla quand je répétai : « Niclaisse ».

Puis je le touchai sur le poignet avec mon doigt.

Au même moment, ses genoux plièrent. J'eus juste le temps de faire un bond de côté. Il s'écrasa sur la pelle, la face dans la boue. Je me souviendrai toujours du jet d'eau qui sortit de sa pipe en tombant. Ses jambes étaient mêlées à la pelle. Il y avait une motte de terre dedans, qui se défit, s'effrita presque toute. Son chapeau avait roulé plus loin, et ses cheveux, fins comme de la mousse, frissonnaient à deux pouces de la froide vase.

Niclaisse était mort durant l'orage. Électrocuté.

Comme un fou, je sautai sur mon bicycle pour aller chercher de l'aide. L'oiseau noir était là, me précédant, sans voix, m'attendant toujours, une couple de piquets en avant.

Je devais avoir l'air égaré et les yeux en sang, parce qu'une de mes sœurs cria : « Malheur » en me voyant dans la porte de la cuisine.

— Oui. Un malheur.

Seul, le père ne s'énerva point. Je lui dis la chose à l'oreille, tout bas, en deux mots. Il comprit. Il laissa son souper, s'habilla, attela ses chiens sur son petit banneau à lait, plia sans que personne ne le vit, une couverte à cheval par-dessous ses coussins de poche, et sans trembler, me dit :

— Passe devant avec ton bicycle. Je te suis.

Là, je ne me souviens plus.

Je sais qu'au retour, il faisait noir, que les chiens tiraient fort, et que de temps à autre, le père avec ses deux grosses mains, prenait la couverte par le milieu et poussait le corps plus en avant pour qu'il ne tombe pas.

GLANASSE, LE BRACONNIER

GLANASSE le braconnier de la Montagne Profonde, rusé et silencieux pirate des forêts, cauchemar des gardes-chasse et terreur des animaux, s'avance, gravit une butte tel un géant vainqueur et sourit d'aise. Il dépose sur la mousse sa brochée de truites, ses deux perdrix, son quartier de chevreuil, puis il s'étend sous l'arbre pour faire la sieste. Il est seul et loin de toute habitation. Son canot, caché dans l'anse d'une rivière sauvage, à quelque cent pieds de là, l'attend.

Deux jours auparavant, Glanasse a laissé son village et sa maison et sa femme pour couvrir la forêt de pièges et de traquets. C'est un semeur d'embûches, habile et méchant. Les yeux demi-ouverts, il repasse dans sa tête les lieux exacts où il a dissimulé, soit des collets ou des trappes, soit des licous ou des nœuds coulants ou des artifices qui ont le pouvoir de couper la vie des bêtes de la même façon que les ciseaux coupent un fil. Tout à l'heure dans les détours paisibles, le sang coulera sur les violettes.

En ce moment Glanasse repose sous un arbre et voilà qu'il entend un vrombissement ; c'est une mouche heureuse qui arrive tournoyante, bourdonnante. Tour à tour elle gamine sur le chapeau, sur le

Moi, je suivais de près, très nerveux.

Il m'arrivait souvent de perdre l'équilibre, parce que ma roue de devant allait frotter sur quelque chose de mou qui pendait derrière le banneau. Il faisait noir, c'est vrai, mais je n'avais aucun contrôle de moi.

Je pensais aux éclairs, au gilet de laine sur le gros banneau durant l'orage, à la blague à tabac pesante comme une éponge, à l'oiseau noir, aux genoux qui cassent, à la pipe pleine d'eau, et aux cheveux fins comme de la mousse, que la vase avait failli tacher. Avait peut-être taché, je ne me le rappelle plus.

genou, sur la main du braconnier, puis sur ses truites, sur sa carabine, sur le morceau de chevreuil, réjouie comme un enfant gourmand qui se darde sur un plat inespéré. Glanasse agite la main machinalement et dit : « Va-t'en ».

— Buzz buzz buzz, bonjour Glanasse, dit la mouche aussi distinctement qu'un être humain peut parler.

Il ouvre les yeux, il a entendu la mouche lui dire bonjour et demeure frappé de surprise, comme on peut l'être d'entendre parler une mouche.

— Enfin ! Te voilà ! Quelle joie ! continue l'insecte en détachant bien les syllabes.

— Quoi ?

Le braconnier se met sur son séant et regarde, stupéfié, cette bestiole qui lui marche sur le pied. C'est de la tuer qu'il importe, comme on tue d'un cri un commencement de cauchemar qui monte sur les draps, la nuit.

— Buzz, buzz, tu perds ton temps. Bonjour Glanasse ! Tu as volé Glanasse ; tu as tué Glanasse ; tu sais que c'est le temps prohibé et quand même, tu es allé à la chasse et à la pêche. Encore ce matin, tu as abattu un faon. Il te faudra payer pour cela, Glanasse, et pour ces deux perdrix et pour ces truites et pour beaucoup d'autres meurtres. Fou de Glanasse qui tue à tort et à travers pour le plaisir de tuer ! Fou de Glanasse ! Maintenant je t'annonce une nouvelle : nous allons faire ton procès. Tu ris ? Venez ! Venez ! Venez ! Glanasse est ici sous l'arbre, je l'ai trouvé. Morts, ressuscitez, morts, venez témoigner !

Il est ici. Buzz buzz buzz ! Que c'est drôle ! Comme nous allons nous amuser !

La mouche a dit tout cela d'un trait. Elle se remet à virevolter. Glanasse s'éponge le front, se frotte les yeux et dans le silence revenu, se détend dans un sourire croyant qu'il a rêvé. Il chantonne « youp youp sur la rivière » pour empêcher les illusions de le repénétrer.

— Buzz buzz, braconnier sans cœur, reprend l'insecte avec fermeté. Tu chantes pour ne pas m'entendre, pour m'oublier, mais tu m'as trop bien entendue. Tu sais trop bien que j'ai parlé. Là, regarde-moi, une mouche qui parle, n'est-ce pas prodigieux ? Je siège sur ton menton. Nous allons te juger, Glanasse. Venez, venez mes amis !

C'est clair et net. La mouche parle et Glanasse ne rêve pas. Il pâlit, écoute et murmure soudain :

— Il y a quelqu'un derrière mon dos, j'ai entendu marcher.

C'est fou, il a peur. Comment donc ! Voilà Glanasse, le terrible chasseur de la Vallée, qui tremble. Il empoigne sa carabine et pour se donner du courage, chantonne une deuxième fois : « Youp youp sur la rivière où vous ne m'attendez guère... » Tout à coup, une grande voix plus forte qu'un éclatement de tonnerre lui frappe le dos :

— Retourne-toi, Glanasse, et tire, vise-moi bien, tire !

Glanasse se retourne, épouvanté, les cheveux droits sur la tête. Il crie : « Arrière ». Il se cabre, épaule et décharge sa carabine. La grande voix qui

sortait de la feuillée superbe d'un orignal, le salue
courtoisement et...

— Bravo Glanasse !

Glanasse recharge son arme et tire, affolé.

— Ménage ta poudre, lui lance le roi des vallées
immenses, ne vois-tu pas que c'est inutile ? Tu ne
peux plus me tuer !

— Un orignal qui brame des mots ? Et qui me
regarde et que je tue et qui ne tombe pas ?

Alors Glanasse reconnaît cet orignal qu'il a pris
dans un collet à ripousse, un hiver.

— Je suis fou, bafouille-t-il ! Je suis fou ! Ça
non ! Sauvons-nous !

Il prend la fuite. Mais il n'a pas fait deux enjam-
bées qu'un ours puissant et lourd, debout sur ses
pattes, lui crie :

— On ne passe pas monsieur !

— Quoi ? Un ours qui me barre le chemin, lance
Glanasse, pâle comme neige. « Au secours ! Au
secours ! Au secours ! »

Puis il pousse une autre cartouche dans la culasse
de sa carabine et tire. L'ours fait un pas en avant,
s'incline comme sait faire le prince des monts recu-
lés. La fumée se dissipe :

— Bravo Glanasse ! Quelle adresse ! Tu m'as eu
en plein front, comme la première fois, mais là, je
reste debout. Alors, tu tires encore sur tout ce que
tu vois ? N'as-tu pas entendu l'orignal ? Ménage tes
cartouches ; nous sommes invulnérables. Approchez
les autres ; c'est ici, la mouche l'a trouvé. Le procès
de Glanasse c'est tout de suite.

— Tous ceux qui en ont contre lui, bourdonne la

mouche, poissons, carnassiers, échassiers, grimpeurs, rongeurs, plongeurs. Nous les piégés, les traqués, nous le tenons. Venez, c'est tordant !

Glanasse veut fuir, mais ses jambes ne le supportent plus.

— C'est fou, c'est fou ! J'imagine des choses, c'est un cauchemar, je rêve...

— Majesté Orignal, exposez-lui donc le jugement, dit l'ours avec dignité.

— Mais non ! Tu ne rêves pas, Glanasse. Tu es dans le bois. Tu viens de la chasse défendue, de la pêche sans permis et du trappage sans raison. Tu viens des crimes. Nous allons te rappeler qui tu es et te signifier pourquoi nous sommes ici. Renard, lis.

À ces mots, un renard aux petits yeux méchants sort de terre, glapit deux fois, tire une longue feuille d'écorce et lit :

— « Acte d'accusation. À Glanasse, braconnier, cracheur de feu, videur de bois, saluts. Les animaux de cette forêt, signataires de cet acte, ont décidé de faire ton procès. Feux, saccages, paniques, poisons, engins cruels, sont les moyens que tu employas pour nous détruire, nous te déclarons notre prisonnier. Tu fus toujours en guerre contre nous et ne nous laissas jamais en paix. Aujourd'hui tu devras répondre aux accusations que chacun te portera à tour de rôle.

Fait et approuvé par le conseil des animaux de la Forêt Profonde, en ce beau jour de mai ».

Le renard roule sa feuille d'écorce et attend. Glanasse ne comprend rien à cette mise en scène. Il tourne la tête et aperçoit un carcajou debout derrière une souche qui le fixe et lui dit :

— Croyais-tu donc doucettement te secouer de tous
ces crimes ? Le jour ? C'est aujourd'hui. À notre
tour maintenant de te piquer d'une crainte ou deux.
Maintenant, paye-nous ! Nous allons voir si ton
compte est bon. Prépare ta défense. Aligne tes arguments. Les animaux de toute la forêt arrivent. Lève
les yeux, regarde ! Tous ceux que tu as tués en
braconnant demandent une explication. Tu m'en
dois une à moi...

— Pas de bavardage, dit l'orignal au carcajou.
Homme de cinquante ans, le mal que l'on fait pour
le mal ne reste jamais sans punition. Tu n'aurais
jamais dû l'ignorer.

Glanasse, levant la tête, aperçoit des vagues d'animaux qui montent de tous côtés.

— Ours, fais-toi connaître, commande le chef.

— Moi, je suis l'ours que tu abattis au Carré des
Aulnes, en plein été, alors que je me chauffais au
soleil.

— Faux ! C'est faux, crie Glanasse en se tenant
la face contre terre.

— Et moi, un chevreuil que tes chiens ont cerné et
poussé dans le lac, dit un chevreuil estropié et défait
qui se fraye un chemin jusqu'au braconnier, me re-
connais-tu, mauvais chasseur ? Assis bourgeoisement
dans ton canot, tu me laissas venir à toi et, à bout
portant, tu me mitraillas la face. Regarde, je suis
aveugle.

— Regarde mon cou, glapit le renard aux petits
yeux, en montrant son cou pelé et galeux.

— Mes deux jambes cassées dans les hautes-neiges,
crie un tout jeune chevreuil que d'autres supportent.

— À moi ! Je rêve ! souffle le braconnier sans voix et glacé d'épouvante.

Il entrevoit au loin dans la Vallée un troupeau immense de chevreuils, qui s'en vient dans sa direction, comme une houle.

— Loup, parais, c'est ton tour.

On voit un loup maigre et agile bondir aux pieds de Glanasse et commencer avec un grand sourire :

— Allô gangster, je te tire ma révérence.

Il salue jusqu'à terre en découvrant sa patte d'avant coupée par un piège posé en pays pacifique.

— Qu'est-ce qu'on va lui faire ? se demandent entre eux plusieurs castors-ouvriers portant bâtons, assis dans un coin. Orignal, que va-t-il maintenant arriver à Glanasse ?

— Tuez-le, tuez-le, étranglez-le, bourdonne la mouche. C'est un tyran, un lâche, un maniaque, un fou tuant. Vengez-vous, vengez-vous, mes amis. Buzz buzz buzz ! Approchez tous ! Quel merveilleux procès ! Fini ! C'est la fin ! Bêtes, accourez, venez voir l'impitoyable ennemi agenouillé, écrasé à faire pitié. Il crie, il pleure, il sue, il gémit, il se traîne, se morfond en demande de pardons, en lamentations, en résolutions, en promesses d'expiations ! Mais il est trop tard : buzz, buzz ! Bêtes, accourez, venez voir la fin du petit homme blanc !

— C'est insensé, se dit Glanasse en se frappant le front à coups de jointures ; je rêve, les bêtes ne parlent pas, c'est idiot ! Mathilde, Mathilde !

— Qui est Mathilde ? demande gravement l'ours au milieu des rires de toute la forêt.

— Sa femme, monseigneur, sa douce épouse, ré-

pond la mouche en se roulant de plaisir sur la joue
du chasseur.

— Elle est à quatre cents milles d'ici, ta femme,
dit le loup en souriant délicieusement. Pauvre garçon ! Même moi, le vagabond des bois, je courrais
soixante-dix milles par jour à toute vitesse dans le
sens du vent, en piquant à travers les fourrés pour
te chercher le secours de tout ton village, Glanasse,
ça ne servirait de rien.

— Chacun son tour ! Tu es cerné, tranche un vieux
caribou qui vient d'arriver.

Et tous les animaux terrestres crient :

— Justice ! Justice ! Le sang veut du sang ! Lais-
sez-nous-le !

Du rivage, les animaux de mers et de rivières
crient :

— Jetez-le à l'eau, nous nous en chargeons ! À
l'eau ! À l'eau !

Glanasse au milieu de tous ces hurlements, sue
de grosses gouttes mais il a froid jusqu'au cœur.

— Éponge-toi un peu, ramasse tes esprits, lui con-
seille l'ours, tu n'as rien vu encore ! Habitue-toi à
nous, ton procès sera long peut-être.

— Et dur, et tassé, et difficile, crient de toutes parts
les habitants des bois.

— D'autres pèlerins qui arrivent, lance un héron
du haut de sa branche, en faisant des signes avec ses
ailes. Venez, visons, belettes, lièvres, chats sauvages,
renards, ours, caribous, wapitis. Regardez-les, ils
montent et s'entassent comme des nuages à tempête !

— Enfin ! C'est le jour de ton jugement ! souffle
le caribou.

— Il est arrivé, grogne l'ours, Carré des Aulnes, rappelle-toi, balle au front en plein été !

— Pauvre homme ! soupire le rossignol à l'écart sous la feuillée.

— Allô Glanasse, ne cesse de répéter le loup avec délice. On se retrouve, jour béni !

On va lui faire un mauvais parti. L'orignal s'interpose sévèrement et commande :

— Arrière tous, pas de lynchage ici ! Placez-vous sur les gradins.

On lui obéit.

— Oiseaux, s'il vous plaît, demeurez dans le feuillage pour faire place aux quadrupèdes ; les plus petits en avant et les plus grands en arrière comme il se fait chez les hommes. Ne vous bousculez pas. Chacun aura le temps de témoigner et de dire son mot à maître Glanasse, ici présent. Rien ne presse, c'est l'éternité. Il nous faudra entendre l'accusé d'abord. Soyons patients et calmes ! Rendons-lui sa monnaie.

— Ce charmant monsieur nous a braqué la mort sur le cœur dans des temps prohibés, se moquant bien des lois et des traités, crache un gaillard d'ourson. Sus ! À mort !

— Buzz buzz buzz, ooh ooh ooh, humm humm humm, font tous les animaux ensemble.

— À l'ordre ! Chacun parlera à son tour. Nous avons l'éternité, n'est-ce pas assez de temps ? dit l'orignal qui intervient énergiquement.

Il se fait un silence. Des millions d'yeux dévisagent le braconnier.

— Mathilde, Mathilde ! recommence à crier Gla-

nasse, Ti-Bé, Alphonse, monsieur le curé, à moi, je
rêve, j'entends des bêtes qui parlent, c'est fou !
Mathilde, viens à mon secours, les animaux des bois
veulent me tuer !

Après un autre silence, le loup par-dessus son
épaule, dit à un castor :

— Il croit que nous allons le tuer le pauvre
homme !

— Je ne le piquerais même pas sur l'oreille, siffle
la mouche dédaigneuse.

— À moi ! crie Glanasse.

— Glanasse... commence l'orignal d'une voix terrible.

— Que voulez-vous donc ? soupire l'homme en se
roulant dans la poussière.

— Une simple chose, et toute petite et toute belle,
disent les animaux.

— Juge-toi.

— La mort ? balbutie Glanasse dans un grand
tremblement de tous ses membres.

— Qu'en penses-tu ? La mérites-tu ? Ne la mérites-tu pas ? Oui oui oui, non non non ?

Tous ces cris viennent pêle-mêle, de droite, de
gauche, d'en haut, d'en bas, pointus comme des
éclairs assaillant la nuit.

— Personne ne veut ta mort pauvre homme, dit
l'ours, nous sommes réunis ici pour récapituler.

— Pour nous amuser, pour te saluer, pour te chanter, oh ! la jolie chanson, ricanent les animaux.

— Souviens-toi de notre course affolée quand nous
cherchions à sortir du champ de ta mire, dit le vieux
caribou sans bouger la tête.

— Sors de la situation comme tu peux ? piaule un chat sauvage amusé.

— Chacun son tour ; c'est le tien, oh, m'amour ! font des milliers de voix sur tous les tons imaginables.

— Entends tes victimes et tu décideras toi-même de ta laideur, dit l'orignal.

— Rien de plus amusant, bourdonne la mouche.

— Loup, commence.

Assis sur son train de derrière, après avoir demandé le silence à l'assemblée :

— Donc, je m'en allais mon trot sur le flanc du Pic à l'Air lorsque, par les narines, bien entendu, je sentis ce monsieur. Il devait être à deux milles de moi, au sud. Je fais volte-face, je retrotte vers le nord. Trois chiens sont lâchés sur moi. Bon. Je suis cerné. Jusque-là c'est dans le jeu.

Glanasse regarde le loup et lui demande, suppliant :

— Tais-toi, veux-tu ? Ne continue pas.

— Je pense à ma louve naturellement, poursuit le quadrupède, je pense à mes petits, à ma tanière. Je roule mon courage en boule dans mes nerfs et je repars. Je me pâme, je m'essouffle, je cours, je roule et je ne perds pas la tête encore. Je cours, je saute, je crache, je plonge dans le silence, je nage, je cours et j'éloigne les trois chiens.

— Tais-toi, supplie le braconnier.

— Mais trois autres chiens, frais déchaînés, m'apparaissent sur le devant, continue le loup en élevant la voix.

— C'est faux !

— Je coupe, je vire, je hurle, je bondis. Ils sont sur moi, je sens leur haleine et quelle haleine ! Je prie dans mon cœur de loup mais l'inévitable se produit : une gueule de chien m'attrape le jarret et tient aussi ferme qu'un piège. Je suis perdu, je m'écrase. Puis un coup de feu, puis un autre, ma jambe est cassée, c'est le courage qui craque et s'effondre. Les six chiens sont lâchés sur moi. Glanasse se précipite, il épaule et m'atteint au flanc.

— Non, c'est faux ! crie Glanasse.

— Et ça, qu'est-ce que c'est, une décoration, je suppose ? hurle le loup d'une voix plus forte que les vents d'hiver, en montrant sa patte sèche comme une branche morte.

Glanasse s'efface, il va s'évanouir. Le loup continue :

— Messieurs, disons que jusque-là c'est bien, disons que c'est franc jeu, mais le voilà qui m'enchaîne, qui me ligote. Il me veut vivant. Il me tord le museau, m'arrache les dents, m'étouffe, me bat. Je suis las. Je suis à l'agonie. Je râle. Il me laboure de coups de pieds. Et ce n'est pas tout...

— Non, non, non, je vous en supplie, arrêtez-le, gémit Glanasse, empêchez-le d'ajouter un mot !

— C'est bien, je ne le dirai pas, prononce le loup d'une voix soudainement devenue grave et mystérieuse.

Tous les animaux sont intrigués. La forêt est muette comme aux midis de grande chaleur.

— Parle donc loup, dis-le ! Quelle drôlerie ? demande la mouche.

— Je n'ose pas, reprend le loup en fixant son ennemi dans les yeux.

— Ose donc, fait la mouche.

— Je dirai seulement que je suis mort chez lui, termine le loup sans colère.

Il salue et va s'asseoir plus loin. L'échine des bêtes frissonne comme une forêt sous la bise. Ces sauvages aux lois primitives et tranchantes ne sont jamais allés chez l'homme, mais ils commencent à deviner que les mœurs de ces gens doivent être d'une barbarie indicible. La pensée de l'homme serait-elle plus enchevêtrée que le lierre empoisonné, son pied plus traître que la pierre à fleur d'eau, ses yeux plus menteurs que les lacs endormis, son cœur plus cruel que l'hiver ? Les animaux connaissent bien la gueule écumante de l'ours, la serre violente de l'aigle. Ils ont appris la malice de la nuit, l'impitoyable marée qui monte comme un désir aveugle, la soif du sable. Ils savent la guerre ouverte, la complicité du feuillage, le sang dans l'herbe, les petites dents aiguës de février, mais l'homme serait-il pire que tout cela. Est-il commandé par d'autres lois que la faim, l'amour, la sécurité ? Ils ont vaguement entendu dire que l'homme était un frère supérieur. Ne vaut-il pas mieux être inférieur, que d'engager sa supériorité au service du mal ? Qu'est-ce que l'homme ? Les animaux essaient de percer l'écorce de celui qui se débat sous leurs yeux.

— Messieurs, laissez-moi partir, implore le braconnier. Mathilde, ma femme, m'attend ; j'ai des mioches à nourrir, des obligations à rencontrer, du

pain à gagner, du feu à préparer et des commissions
à faire et des comptes à payer !

—Continue, petit, dit l'ours. Comme c'est émou-
vant ! Le loup n'avait-il pas une famille aussi ?
Continue ! Écoutez la belle chose !

—Continue, continue, continue, font toutes les
voix ensemble dans un grand mouvement de colère.

Mais Glanasse que la terreur paralyse, reste bouche ouverte, les paupières dégouttantes de sueur.

—Il ne veut pas ? Toi loup, continue pour lui,
commande l'orignal, dis-nous ce qu'il y a chez lui.

Alors le loup revient et parle en élevant la voix
pour que tous les animaux, même ceux qui se tiennent au loin puissent entendre.

—Il a des pièges en réserves et des « jack-lights »
dans sa voiture, et des appâts meurtriers, des armes
de toutes sortes, une meute de chiens enragés dans
sa cour, des engins de malheur pour prendre les
animaux à fourrure et les poissons et les quadrupèdes, petits, moyens, gros et même les oiseaux. Et
du venin dans sa tête et du malin dans son cœur et
du barbare dans ses yeux. Braconnier, il est le braconnier Glanasse et il fête au village ! Écoutez ! Il
s'est approché de moi en murmurant des paroles
plus douces que le miel, il était ému, il chantait, il
m'a enivré de petits noms aimables, je me suis coulé
à ses pieds avec ferveur, sa main était ouverte pour
me cajoler. Clic ! Dessous sa main il y avait un
piège et j'étais là, ficelé dans un nœud coulant ! Ses
amis riaient derrière. « Mange de cela mon petit,
mon trésor », il m'a laissé seul avec une chaudière
pleine de pâtée fumant à odeur délicieuse ; j'ai goûté

et le feu me sortait des narines, j'étais empoisonné.
Ses petits enfants venaient me jeter du sable dans les
yeux. Je ne dirai plus rien. Dessous l'animal il y a
la brutalité franche. Dessous l'homme il y a la mé-
chanceté, mais dissimulée sous la ruse comme un
hameçon sous la plume. Je dis que l'homme est plus
misérable que moi.

Les castors, scandalisés, ont mis leur main devant
les yeux pour ne plus voir le spécimen humain.

— À moi ! Taisez-vous ! Je chavire ! vient à bout
de prononcer Glanasse qui claque des dents.

— Il chavire ! Quelle noyade ! Quel repentir ! fait
l'ourson en joignant les griffes.

On sent la tempête qui gronde et s'approche.

— Arrivez-en à une punition, crie une voix dans
l'assistance.

— Pauvre homme ! soupire timidement le rossignol.

— Punition ! Punition ! hurle un chœur de voix.

— Pas si vite, nous commençons à peine, dit l'orignal en élevant son sabot plus terrible qu'une massue.

— Mérites-tu une punition, Glanasse ? interroge
le caribou en le frôlant.

— Madame la truite veut parler, lance un geai
bleu.

— Madame la truite, ajoutent d'autres voix.

— Transportez-la, commande l'orignal, qu'elle
vienne.

Sur un petit lit de fougères, deux castors la trans-
portent avec respect.

— Madame la truite, vous avez la parole, prenez
le temps qu'il faut.

— Oh non, pas elle ! fait Glanasse en apercevant la truite à quelques pas de lui.

— Une truite qui témoigne, ça lui fait peur, ricane la mouche avec délice.

— Commencez madame, dit l'orignal.

La truite ouvre la bouche et commence de son étrange voix des abîmes !

— Je frayais sur le Lac Perdu. J'étais inquiète et triste comme toutes les mères dont le moment est arrivé. Je frayais. C'était au commencement d'octobre.

— Elle ment, c'était au mois d'août, lance Glanasse.

— Depuis quand une truite fraye-t-elle au mois d'août ? demande la truite sans enfler la voix.

— Attrape menteur ! siffle la mouche. Buzz, le vilain menteur, le tortueux, fourbe, hypocrite !

— Au mur Glanasse, et par une truite ! Inoubliable !

Des boohs et des oohs et des hurlements et des ululements et des glapissements surgissent de toutes parts. L'orignal rétablit l'ordre.

— Continuez madame, dit-il à la truite.

— Alors une voiture s'est approchée du rivage, tirée par un cheval.

— Et puis, qu'arriva-t-il ?

Mais la truite n'ose pas continuer.

— Qu'elle se taise, elle va mentir ! crie Glanasse avec sa voix suppliante d'homme.

— Ensuite madame, commande le chef.

— Ce fut ce que vous savez, déclare la truite en baissant la tête.

— Écoutez, chut...

Tous les animaux, oreilles en avant, écoutent la truite qui prononce un mot terrible :

— Dynamite ! Je me souviens d'avoir été pressée et suffoquée et promenée dans l'abîme qui s'agitait comme un tremblement des eaux par une détonation plus forte que le tonnerre, puis je me souviens que je flottais presqu'inconsciente comme des douzaines de mes compagnes, étourdie, assommée, le ventre en l'air, une branchie pendante, et cet homme nous a recueillies avec une fourche à fumier.

À ce mot, la lèvre et la paupière des bêtes se sont soulevées comme un rideau qui s'entrebâille et Glanasse a vu flamber des armes et des étincelles. L'atmosphère ensoleillée est chargée de haine. C'est l'ours qui passe une réflexion sans quoi la foudre aurait pu éclater.

— Quel sportif, dit-il, que de galanterie !

— Beau joueur comme toujours, Glanasse de ma vie, jappe le renard en flattant son cou galeux.

— Après ? demande l'orignal.

Et la truite termine :

— Il a rempli son tombereau de tous mes congénères, puis il a pris la fuite en tremblant comme un voleur, au grand galop de sa bête. Il avait vidé le lac. C'est tout.

— Charmant, fait la mouche.

— Glanasse, mes compliments, salue le loup.

— Elle a menti, dit Glanasse.

Mais les animaux n'écoutent plus. Pris de pitié, ils se tournent vers la truite sans parler.

— Qu'as-tu à dire contre cela braconnier ? demande l'orignal.

— Pauvre homme ! murmure une troisième fois le rossignol sans sortir de la feuillée.

— Mathilde, viens me chercher, crie Glanasse. Ils sont en train de me rendre fou. C'est la fin des temps ! Une truite hors de l'eau vient de m'inonder de mensonges. Vole à mon secours !

— Quelle belle voix ! Et le trémolo et le sanglot et le geste, tout y est. Émouvante défense !

La forêt grossit en murmures terribles.

— Au tour des perdrix que tu as descendues en juillet, déclare l'orignal.

— Oh oh ! Quel vilain coup de feu ! Cet homme était d'une distraction ! remarque le carcajou.

— Les perdrix refusent de parler monseigneur, dit le loup.

En leur nom parle le grand orignal :

— Leur silence vaut bien des tirades, commence-t-il. Pauvre petit oiseau de chez nous qui ne peut en juillet se rouler dans le soleil comme les autres, qui doit se terrer dans les herbes, l'œil aux aguets, le cœur gros, guettant le passage de tous les Glanasse-écoliers, lutter contre les coffres, les rets dans les arbres, les cruautés de toutes espèces, et qui malgré ces guérillas inqualifiables, demeure quand même sous nos bois. Ne vivrais-tu que pour faire honte aux hommes sans lois, que pour enseigner aux insouciants, Glanasse, ton art de vivre, que ta présence est nécessaire. Je demande deux secondes de silence, à la mémoire de tous ces morts innocents qui ne plane-ront jamais plus.

La forêt se tait en mémoire des perdrix inconnues tuées par Glanasse.

— Item suivant, crie l'orignal : la tragédie des castors noyés lâchement sur leurs chantiers des Bouleaux-Rapides.

La famille des castors tend l'oreille.

— Que t'avaient fait ces ouvriers, Glanasse ? La tristesse de la forêt sera-t-elle consolée par le prix de leurs peaux ?

Une immense rumeur de colère souffle sur Glanasse lorsque les animaux entendent l'exposé du meurtre des castors.

— Étourdi petit garçon ! gronde le carcajou.

— Insensé ! hurle le loup en piquant son museau au ciel.

— Fou de Glanasse ! crie la mouche.

— Et puis quoi encore ? La liste est longue, continue le chef. Veux-tu entendre le récit de la mort du dernier caribou, ma parente, qui te supplia de l'épargner parce qu'elle portait son petit ?

— Fou de Glanasse ! Fou de Glanasse ! crient tous les animaux, faisant grand effort maintenant pour cacher leurs griffes et leurs ergots et leurs dents et leurs sabots et leurs cornes.

— Là ce n'est pas vrai, déclare le braconnier, pour ce qui est du caribou, c'est faux, la saison était ouverte depuis cinq jours.

— Menteur !

Le vieux caribou s'avance près du braconnier :

— Tu l'as tirée par cinq fois parce que les maringouins t'accablaient. Depuis quand y a-t-il des maringouins en automne ?

La terre devrait s'ouvrir pour que s'échappe Glanasse qui n'en peut plus.

— Que penses-tu de toi, bipède ?

Colère de l'ours, haine de la mouche... les animaux ne se contiennent plus. Comme une grêle froide et dure s'abattent les cris d'accusation sur la tête du braconnier. Toutes les bêtes sont debout et forment un cercle vivant qui se resserre...

— Non, commande l'orignal.

Il laisse son monticule. Le peuple est interdit. Il s'arrête près de Glanasse :

— Va homme. Les bêtes t'ont parlé. Mire-toi donc encore dans l'eau pleine de sang si tu le peux et essaie de te convaincre que tu es digne de vivre dans le jardin de Dieu. Ce sera ta punition. Retirons-nous. C'est fini.

Et sous l'arbre dans la forêt, le rossignol, seul, chante une chanson pleine de sanglots.

LA MORDÉE

Poète. — Dans la cave d'une lourde maison. On y marche sur la pointe des pieds parmi des masques, des robes à panier et des levers de soleil peints sur des toiles. Là, j'ai vu un jeune homme, vêtu d'un gilet rouge, assis sur un tabouret vert, qui fumait une « rouleuse ! en buvant un café. Crépu, tragique, nerveux, il m'aperçut dans la porte et sans se nommer, me cria :

Lui. — Attention ! Vous allez le recevoir au visage ! Allez-vous-en !

Poète. — Qu'avez-vous ?

Lui. — Là, dans le coin : elle a les bras en l'air, ne l'entendez-vous pas ricaner ?

Poète. — Qui ?

Lui. — Elle. Elle qui m'a eu, qui m'a pris, qui m'a ruiné : la menteuse. Attention !

Poète. — Mais...

Lui. — Baissez-vous !

Poète. — Et je vis une dame très belle et très laide sortir d'un décor de carton et lancer un objet pourpre et saignant dans le visage du jeune homme.

Lui. — Oye... (le cri s'éteint comme une plainte.)

Poète. — Qu'est-ce que c'est ?

Lui. — (long silence.) Rien. C'est fini.

Poète. — Qui est-elle ? Voulez-vous que je la rattrape ?

Lui. — Laissez-là. C'est fini. Laissez-moi respirer.

Poète. — Vous êtes souffrant, monsieur ?

Lui. — Je ne le suis plus.

Poète. — Vos mains sont rouges ?

Lui. — C'est du sang monsieur.

Poète. — Mais quel est ce débris qu'elle vous a lancé ?

Lui. — (temps) Mon cœur monsieur, que je lui avais donné !

Poète. — J'offris ma main au jeune homme, qui en titubant me suivit. Je le conduisis dans ma chambre, sous les toits et il me raconta ceci :

———

Lui. — Dans mon village, par un matin de soleil, un de ces soleils d'or qui fait battre des ailes aux fleurs des chemins, j'étais assis monsieur, sur une galerie de bois, face à la rue. Vingt ans, libre, neuf, heureux, je m'amusais à tourner des nœuds dans une ficelle. Faire des nœuds avec une ficelle trouvée par un avant-midi de village, c'est un luxe monsieur. Je faisais donc des nœuds. J'étais dans cet état où ni le cœur ni l'esprit ne sont engagés. Je ne pensais à personne, ni à rien. Je riais aux nuages en tournant ma ficelle. Qu'étais-je au juste ? Un étudiant ? Un curieux que tout amuse ? Comme un jeune cerf en liberté, je respirais ma vie sans soupçonner qu'un jour quelqu'un en serait jaloux et me la volerait. Tout à coup, une auto a stoppé juste en face de moi.

La portière s'est ouverte et un homme charmant de visage, m'a demandé :

Homme. — Pardon jeune homme, où est la salle ?

Lui. — Je pris mon temps avant de répondre. Nous, les gens de village, nous prenons toujours notre temps pour répondre aux étrangers. Mais celui-là était patient et poli.

Quelle salle monsieur ?

Homme. — La salle à théâtre. Nous sommes les comédiens qui jouons ici ce soir.

Lui. — Ah ! C'est vous ? Bien, le bonjour monsieur. Filez à droite jusqu'au flambeau qui est au milieu, là-bas ; tournez à gauche : c'est la quatrième maison. D'ailleurs, vous verrez les peintres en train de coller les affiches.

Homme. — Merci bien, jeune homme.

Lui. — De rien.

N'est-ce pas que je suis poli ? Cinq qu'ils étaient à bord, hommes et femmes. La plus belle était assise en arrière. Discrètement, elle baissa la vitre, m'appela avec son doigt et pendant que démarrait la lourde voiture, elle me dit :

Elle. — Bonjour toi, mais viens donc...

Lui. — Elle m'avait dit comme ça, tout d'un coup, en me tutoyant : mais viens donc ! Assise à l'arrière, sa blanche main nouée dans la portière, belle, grande, noire de cheveux et de regards, elle me fit pâlir un peu. Comme le cerf traqué pour la première fois est heureux d'éprouver ses jambes et son cœur dans une folle course, je sentis qu'il allait être doux de se laisser pourchasser et peut-être toucher par une flèche venant de cette femme. Quatrième maison à gauche, n'est-ce pas ? Je le savais puisque je le leur avais dit. Naturellement, j'y suis allé.

Nous nous sommes vus. Elle m'a dit son nom et elle parlait franchement, sans rougir ; elle parlait directement sans broncher d'un cil. Derrière le cil, moi, dans ma folle jeunesse, je voyais des oasis. Le corps de cette femme était pour moi la source, où jeter mes lèvres assoiffées. Une voix me disait : c'est un mirage, c'est l'éternel mirage, ces parfums-là sont faux. Mais...

Elle. — Je t'aimerais toi, si tu voulais.

Lui. — Alors la voix s'est tue et l'oasis me fut ouverte.

———

Lui. — Elle joua sous le masque, sans masque, passa de la voix de contralto à la voix de soprano. Dans un tableau où elle apparut, travestie en garçon, elle tira l'épée devant un géant et le tua sans lever la lame, en chantant une complainte comme celle que savent les fous de rois. Dans sa loge, elle me reçut, roulée dans une longue mante noire. Sa tête seule sortait du vêtement ; on ne voyait ni ses bras ni ses jambes : une rose au couchant qui ramène ses corolles en écran pour se protéger des troubles de la nuit.

Elle. — Fumez.

Lui. — Pardon ?

Elle. — Fume. Assieds-toi.

Lui. — Merci.

Elle me fit signe... sur la table. Parmi les maquillages, les faux colliers et les bas de soie rouge, un petit éléphant jaune, trompe en l'air, tenant un petit bol de feu, me regardait. J'allumai ma cigarette. Dès la première bouffée, un parfum m'envahit jusqu'au fond de la tête et je glissai à ses pieds comme le cerf atteint. À ce moment j'étais touché, mais aucune blessure, aucune nappe rouge par terre, une sorte de noyade lente, où l'on tourne, tourne, tourne jusqu'aux éponges.

Elle. — Tes cheveux sont bien crépus.

Lui. — Oui ?

Elle. — Oui.

Lui. — Et sa gracieuse main, fragile et vivante comme une tête d'oiseau, se mit à voyager de mon front à ma nuque, de mon œil droit à mon œil gauche, picorant mes sourcils, faisant le tour de mes joues, me flattant le menton, pour finalement après bien des détours, se poser sur mes lèvres et s'envoler très vite en frappant l'air à tire d'ailes comme si elle s'était brûlée. Touché. J'étais touché. Et comme le cerf touché, je vis ma liberté prendre le large au grand galop. Délicieusement, je rivai des yeux d'esclaves sur celle, plus grande et plus forte que moi, qui venait de m'enchaîner de ses tresses noires.

Elle. — Demain, nous retournons à la ville. Voici mon adresse. Suis. Je t'attendrai.

Lui. — Mais je dormais. Au réveil, j'étais seul, étendu sur un petit lit de bois, enveloppé dans une épaisse draperie à décor, dans cette chambre froide, malpropre et sans air, qui la veille m'avait paru une loge de reine. Les maquillages, l'éléphant de feu, les bas et les colliers étaient partis avec la reine. Inquiet, je descendis l'escalier des loges, un escalier de fer branlant et poussiéreux. J'étais dans les coulisses. Sur la scène, on était à démonter le troisième acte de la veille, représentant le petit jardin de fleurs où elle avait tué le géant. Un ouvrier, qui roulait un câble dans son bras, m'interpella :

Ouvrier. — Hé.

Lui. — Quoi ?

Ouvrier. — Rien.

Lui. — Pourquoi riez-vous ?

Ouvrier. — Pour rien.

Lui. — Quoi ?

Ouvrier. — Mordu, hein ?

Lui. — Répète donc pour voir, machiniste !

Ouvrier. — Je te comprends. Tu es le cinquantiè me, peut-être le millième.

Lui. — Silence !

Ouvrier. — Tant que ça !

Lui. — Je ne suis pas mordu.

Ouvrier. — Non, non ?

Lui. — Où est-elle ?

Ouvrier. — Partie. Quand c'est fait, elle s'en va.

Lui. — J'ai envie de te battre.

Ouvrier. — Je parle de la pièce, je ne parle pas de la mordée.

(L'ouvrier est frappé au visage.) Petit, tu m'as frappé. Je pourrais te lier comme on lie un poulet.

Lui. — ...

Ouvrier. — Tu me fais trop pitié.

Lui. — J'ai mal !

Ouvrier. — Regarde.

Lui. — Vous aussi ?

Ouvrier. — Moi aussi, autrefois, et j'ai fini machiniste. Va, je sais ce que c'est. Des décors de châteaux, des escarpins de clowns et des peines et des éclats de rire dans des nuits de carton, j'en monte et j'en démonte depuis plus d'un demi-siècle, malgré la cicatrice que je viens de te montrer. Voilà une reine qui en a fait pleurer bien d'autres avant nous. Lorsque tu seras vieux, tu verras des tout jeunes, se tordre devant elle. C'est une garce !

Lui. — Assez !

Ouvrier. — Pauvre petit !

Lui. — J'étais mordu, quoi ! L'air de mon village me gêna et le soleil aussi. Je trouvai laide ma galerie de bois, où la veille j'avais tourné des nœuds en flânant. Je marchai, corps en avant, courbé, avec ma première peine en dedans. La présence de mes amis d'hier me devint intolérable. Je découvris le silence et il me fit peur. Ma première nuit d'insomnie, ma deuxième, ma troisième... Le train, mon premier voyage en train en compagnie de cette peine comme un paquet qu'on porte sous le bras. J'étais un homme : alors je partis puisque quand on est un homme, on part.

(Le train, puis la ville.)

Lui. — C'est donc ça la cité ! Enfer ! Elle est là-dedans parmi les monstres. Marchons.

Et j'ai marché par des rues maigres et longues et jaunes et froides, mon papier dans la main droite. Et j'ai trouvé une chambre juchée dans la tête d'une maison noire. Dedans il y avait un lit de bois qui ressemblait à celui de la loge et j'ai mis un carton sur la lampe qui éclairait les objets avec trop de bru-

talité. Dans le rond de lumière qui s'échappait du
carton, j'ai lancé de longues bouffées bleues, comme
fait un homme. J'ai pris une ficelle et j'ai essayé de
faire des nœuds, mais ce luxe d'enfant libre ne me
disait plus rien. Je n'étais plus libre...

Elle. — Tu m'as rejointe ?

Lui. — Il le fallait.

Elle. — Bienvenu.

Lui. — Comme tu es belle !

Elle. — Je t'attendais. Pourquoi la détestes-tu la
ville ?

Lui. — Parce qu'elle te souille. Laisse-la et viens
chez moi.

Elle. — Moi laisser la ville ? Tu es fou.

Lui. — J'aimerais te montrer aux pauvres gens, tu
es si belle.

Elle. — Ils m'ont vue.

Lui. — À la hâte.

Elle. — Tant pis pour eux.

Lui. — Tu es l'adoration des instruits, viens donner à boire à ceux de mon village.

Elle. — Tu me plais, toi.

Lui. — Je t'aime tant. Non, ne lis pas cela. Ah !
si tu veux...

Elle. — « Des personnages me trottent dans la
tête. Tout un monde : des grotesques, des fourbes,
des marins, des sages, des fous. Ce qu'il y a en quantité, c'est des malheureux, et à l'avant-scène qui les
couvre de son manteau, c'est Arlequin le grave
clown. Il grimace et gambade et soulève la douleur
du monde et la foule se tord de rire ». Ton journal ?

Lui. — Oui.

Elle. — C'est toi qui as écrit cela ?

Lui. — Cette nuit en balançant ma tête dans les nuages qui roulaient par la fenêtre.

Elle. — Tu t'attaches, hein ?

Lui. — À toi ? Oui...

Elle. — « Ce qu'il y a en quantité, c'est des malheureux ». Tu vois bien que je ne peux pas m'éloigner d'ici, c'est écrit dans ton journal.

Lui. — Je t'aime tant !

Une deuxième fois, j'ai roulé à ses pieds. Puis une troisième, une quatrième, une cinquième, peut-être une centième. Je l'ai suivie partout. Je l'ai vue en ogre, en déesse, en bossue, en sirène, avec des cornes, sans cornes, avec des ailes, arrogante, en pantalons, recueillie sous le voile, en astrologue, en fille de rue, en idiote ; elle était l'univers qui rit, l'univers qui pleure, qui chante, qui prie, qui ment, qui meurt et recommence. Comme du cerf touché coule un filet de sang, parfois, à ma grande terreur, dans la trace de mes pas suivait une petite traînée rouge. Je ne cessais de lui murmurer : je te suis, je suis ton esclave, à la vie, à la mort ; dans les crevasses, dans les hauteurs, je te suis comme l'anneau suit l'anneau, comme le sillage suit la barque, comme le cou suit la tête, je te suis...

Un soir, un soir si bleu qu'on pouvait lire sa pensée dans l'œil des étoiles, après une première au Théâtre des deux Lunes, j'avais longuement causé avec elle en buvant un café de fine poussière des Indes dont l'arôme dilatait les narines ; un soir inoubliable comme il en est raconté dans les vies d'artiste ; entre des bougies rouges piquées sur des bouteilles de vin, nous causions, elle et moi. Doucement je m'endormis, mordu, mais cette fois mordu comme un billot par la hache, comme une patte par un piège, comme un os par une machoire, mordu jusqu'au fruit comme l'amande par le casse-noisette. Le sommeil m'avait collé les épaules. Le petit éléphant jaune, portant lanterne au bout de sa trompe, semblait me précéder dans une nuit de désert. Un long temps s'est passé.

Homme. — C'est lui ?

Elle. — C'est lui.

Homme. — Quel goût ! Tu es folle !

Elle. — Il est jeune.

Homme. — Il est laid.

Elle. — Et puis ? toi tu es vieux.

Homme. — Je t'adore.

Elle. — Il est jeune et moi aussi, je ne vieillis jamais.

Homme. — Louve, quand donc seras-tu rassasiée ?

Elle. — Partons.

Homme. — Cruelle, cent fois cruelle !

Elle. — Je finirai par me lasser de tous ces compliments.

Homme. — Je t'aime.

Elle. — Cesse.

Homme. — Change d'idée au sujet de l'affaire.

Elle. — Moi ? Jamais. Viens, pendant qu'il dort.

Lui. — Incapable monsieur, incapable étais-je de bouger le petit doigt, de soulever la paupière et j'ai entendu ces paroles ! Dans cette oasis où je croyais être le seul à pénétrer, je venais comme un animal de humer la présence d'un rival. Étais-je hypnotisé ?

Ses yeux, son parfum, ses paroles m'avaient couvert
de ténèbres comme la douce liqueur fait la nuit dans
la tête de l'homme.

———

À mon réveil, dès l'aube, j'ai bondi dans la rue
comme un garçon qui a perdu sa mère. Je l'ai cherchée, cherchée de par la ville, de par les théâtres, de
par les loges d'artistes, de par les cafés et nulle part
on ne l'avait vue. Un comédien que je rencontrai
dans un couloir d'hôtel me tourna violemment le dos
et refusa de me répondre comme s'il avait du chagrin. Dehors, encore une fois je refis les endroits
habituels. Personne. Passant devant une petite église
basse, une cloche se mit à tinter. Des gens heureux
se pressaient sur le parvis et se mettaient en rangs
doubles, pour laisser passer le cortège. C'était une
noce, blanche comme une mouette dans un ciel noir.
Oui monsieur. J'avais vu. Bien avant que s'ouvrent
les portières, bien avant le salut du chauffeur galon-
né, bien avant que démarre l'auto enrubannée comme un gros colis précieux... Monsieur, la mariée...
c'était elle.

Les grives du parc tournoyèrent autour de moi
comme pour me chasser de l'endroit. Je fermai les
yeux et dans mon cerveau, des vautours se mirent à
voler autour d'un corps qui était par terre et qui
était le mien.

Homme. — Retourne dans ton village.

Lui. — Non.

Homme. — Puisque c'est fini.

Lui. — Non.

Homme. — Tu attends quoi ?

Lui. — Quelque chose qu'elle a de moi.

Homme. — Quoi ?

Lui. — Rien.

Homme. — Retourne dans ton village, insensé.

Lui. — Et vous ?

Homme. — Moi, je suis vieux, ça s'endure, mais toi ?

Lui. — Moi, je reste.

Homme. — Qu'espères-tu ?

Lui. — Et vous ? Comme moi, vous espérez qu'elle vous revienne, mais elle est épousée.

Homme. — Approche.

Lui. — Quoi ?

Homme. — Viens là.

Lui. — Ensuite ?

Homme. — Je vais te dire. Moi, je suis plus vieux, alors je sais, je la connais depuis plus longtemps que toi. Si je te disais... non, non.

Lui. — Dites ?

Homme. — Non.

Lui. — Alors, fichez donc le camp, hein ?

Homme. — Voilà : c'est son quarantième, peut-être son quatre-vingt-dixième.

Lui. — Comment ?

Homme. — Maintenant je m'en vais.

Lui. — Répétez ?

Homme. — Mais non, tu m'as compris. Alors, hein ? Des mordus comme nous deux de par le monde, elle en a fait autant que la foudre dans les bois. Pense donc ! Peut-être son quatre-vingt-dixième époux !

Lui. — Sur ma galerie de village, je tournais des ronds dans une ficelle.

Homme. — Et moi, je hachais du tabac dans ma boutique ; j'étais heureux aussi avant qu'elle vienne...

Lui. — Mais elle n'est pas humaine cette femme ?

Homme. — Son âge, veux-tu le savoir ? Dix siècles. Peut-être trente. Quand tu auras ça gris comme je les ai, tu sauras. Ils sont noirs tes cheveux. C'est pourquoi je te dis : retourne dans ton village. Moi, il est trop tard.

Lui. — Moi de même.

Homme. — Ensorcelé !

Lui. — Non. Il y a cette chose qu'il faut qu'elle me rende sans quoi je ne vivrai plus ; sans cette chose, je ne pourrai pas vivre ; personne ne peut souffler sans cette chose, on ne peut plus charroyer l'air du dedans au dehors.

Homme. — Elle les garde.

Lui. — Elle me rendra le mien.

Homme. — Elle les collectionne ces choses dont tu parles.

Lui. — Elle ne gardera pas le mien, je lui arracherai, c'est à moi.

Homme. — Ne lui as-tu pas donné ?

Lui. — Elle me l'a volé, c'est une voleuse !

———

Lui. — Tu ne veux plus de moi ?

Elle. — Non.

Lui. — Pourquoi ?

Elle. — Parce que tu me déplais.

Lui. — Quoi faire pour te plaire ? Quels sont ceux qui te plaisent ?

Elle. — Les rares, les quelques-uns, les élus, les peu nombreux, les exceptions, les très rares.

Lui. — Et moi ?

Elle. — Tu es ordinaire comme Temps-grises, comme le machiniste, comme Grosse-voix, comme Taille-ronde, comme les milliers, tu es ordinaire.

Lui. — Mais je te servais en esclave.

Elle. — Tu te servais aussi.

Lui. — Mais je t'adorais ?

Elle. — Tu t'adorais aussi.

Lui. — Laisse-moi recommencer.

Elle. — Non. Tu me déplais.

Lui. — Je suis mordu, ne vois-tu pas que je saigne et que je ne guérirai jamais ?

Elle. — Ensuite ?

Lui. — Sauvage !

Elle. — Et puis ?

Lui. — Monstre !

Elle. — Dis donc le vrai mot faible petit : je te suis inaccessible, tu es trop petit pour moi, avoue donc. Tu n'as que ta jeunesse et je la dépasse.

Lui. — Je vaux tous tes amoureux.

Elle. — Qu'ai-je besoin de toi ?

Lui. — Je te hais !

Elle. — Laissons l'amour de côté, je t'en prie.

Lui. — Rends-moi cette chose.

Elle. — Non, je la garde, je les garde toutes. Ne parle pas de me tuer, je suis une des dernières, des très dernières qui quitteront le sol à la fin des temps.

Lui. — Rends-moi cette chose qui est à moi.

Elle. — Que tu m'as donnée.

Lui. — Que je te supplie de me redonner, au nom de ma liberté que tu as emprisonnée.

Elle. — Tu m'agaces, tiens, attrape...

Lui. — Non, ne le lance pas, il pourrait se briser.

Elle. — Il est tout en charpie déjà, tiens.

Lui. — Non, au moins donne-le-moi de ta main, laisse-moi toucher ta main une dernière fois.

À ce moment vous êtes entré, monsieur.

Poète. — Je me souviens.

Lui. —Et elle m'a lancé l'objet sanglant qui était à moi, vous l'avez vu ?

Poète. — J'étais là et j'ai vu vos mains rouges portant la chose sanglante.

Lui. — Vous avez vu le théâtre, cette enjôleuse dame sans âge et sans rivale, jeter dans le visage d'un comédien, le cœur qu'il lui avait donné.

Poète. —J'ai vu. Venez. Ne restez pas dans ces lieux.

Lui. — Non.

Poète. — Je vous reconduirai dans votre village.

Lui. — Non.

Poète. — Quoi, vous restez ici ?

Lui. — Oui. Peut-être, on ne sait jamais...

Poète. — Impossible, vous êtes fou !

Lui. — Un jour qui n'est pas loin...

Poète. — Fou !

Lui. — Elle reviendra ? Qui sait !

Poète. — Mordu ! Fou ! Fou ! Mordu !

Lui. — Je ne souhaite à personne d'être mordu par elle, à moins que cette personne ait quelque part dans ses veines une inépuisable quantité de sang... car la dame ne se nourrit que de ça.

RAISONNEMENT DE RATS

ON ouvrait une petite porte de la cuisine sur un trou noir au bord duquel s'accrochait l'escalier de la cave.

Les gens de la maison y descendaient de temps à autre, fanal au poing, pour y renouveler les provisions de table. Les produits de la terre abondaient dans cette cave. Les planchers, les murs, même le plafond en étaient garnis. À droite, c'était le carré à patates, les paniers de céleri, à gauche, le carré de navets, plus loin une montagne de carottes, l'étalage des choux d'hiver, les tresses d'oignons pendues par la tête, les barils de pommes, les conserves, la barrique de vin, les sacs de sarrazin moulu, de gruau, de farine, le blé d'Inde séché, les corbeilles de fruits. Un petit sentier de la largeur d'une personne zigzaguait au milieu de cette abondance.

Et c'était la nuit dans cette cave, de septembre à mai. Les pluies venaient. Puis les gels, la neige, l'hiver, à grands coups de griffes et de dents mordaient le solage pour entrer dans ce lieu, mais les murs qui le gardaient étaient de pierres des champs et se défendaient bien. Parfois les soirs de grand froid, un rayon de lune plongeait par le carreau pour revoir les feuilles de choux.

Aucun être vivant ne semblait habiter là. Pourtant, sous l'escalier, quand on prêtait bien l'oreille...

Dodue. — Mon amour...

Poil Fauve. — Reculons sous la feuillée, la lune nous voit.

Dodue. — Mais je veux qu'elle nous voit : je t'aime.

Poil Fauve. — Plus bas. Tu vas réveiller nos parents.

Dodue. — Répète-moi cette belle histoire que tu me racontais hier.

Poil Fauve. — Viens plus près.

Dodue. — Mon rat !

Elle disait vrai, cette petite. Un rat, à poil fauve, lui faisait la cour, et elle, jeune fille de la même espèce que lui, se pâmait d'amour à la moindre de ses paroles. À deux pas des choux-fleurs, sous l'escalier branlant, chaque soir, se rencontraient les amoureux. Elle était la fille de monsieur Raisonnement, un rat très vieux, très sage, très raisonnable, qui était venu dans cette cave à l'époque des misères. Et lui était le fils du beau, terrible et moqueur Rataplan, pionnier lui aussi dans ce décor où nous voilà. La famille Rataplan habitait sous les poutres, tandis que la famille Raisonnement avait ses suites sous la dernière marche de l'escalier.

———

Dodue. — Pourquoi me défend-on de t'aimer ?

Poil Fauve. — Pourquoi suis-je le fils de Rataplan ?

Dodue. — Pourquoi papa Raisonnement ne veut-il pas entendre raison ? Nous avons tout pour être heureux ici : de la chaleur, des provisions.

Poil Fauve. — Un bon vêtement.

Dodue. — Un peu de lune.

Poil Fauve. — De la musique, quand on joue le piano là-haut.

Dodue. — De la jeunesse.

Poil Fauve. — De la sécurité. Ah ! Les rats sont fous ! Ce serait le paradis ici, si l'on voulait !

Cachant leur amour de rat au sein de la nuit, répétant avec ivresse l'éternel et beau mensonge, les deux jeunes rats, immobiles, flanc à flanc, tissaient lentement jusqu'à la pointe de l'aube, des rêves bleus et roses.

―――

Rataplan. — Assez !

Poil Fauve. — Mais papa...

Rataplan. — Non !

Poil Fauve. — Pourquoi alors m'offrir de parler comme le feraient deux hommes si vous refusez de m'entendre ?

Rataplan. — Écoute petit. Mon nom est Rataplan. J'ai un ennemi dans cette cave, il a nom : Raisonnement. Tu sors avec sa fille, ça ne peut marcher. Je te propose un choix.

Poil Fauve. — Comment, je ne comprends pas.

Rataplan. — Je te propose de choisir entre elle et ta propre famille. C'est clair et français !

Poil Fauve. — Je voudrais les deux.

Rataplan. — Les deux ?

Poil Fauve. — Oui. Je voudrais celle que j'aime et en même temps rester en bons termes avec vous que j'aime aussi.

Rataplan. — Inconcevable ! Un Rataplan parler ainsi ! Fou ! Et que fais-tu du passé de misères, de ces longs soleils de luttes contre ce rat rusé qui voulait m'empêcher d'élire ici domicile ? Il a pris tous les moyens pour me ruiner et tu veux m'enlever la joie de le détester ? Nous sommes en guerre depuis toujours. Ce soir, demain, jusqu'à la mort, c'est catégorique, entendu, décidé : la guerre. Et toi, ingrat, fils sans cervelle, maintenant que ton père a le dessus, maintenant que je suis le plus fort, que je lui fais manger la racine, tu transporterais dans son camp ta jeunesse et ta force ?

Poil Fauve. — Je vous assure que Dodue et moi, nous nous entendons à merveille.

Rataplan. — Dodue ?

Poil Fauve. — Oui, Dodue, c'est son nom. Pourquoi la détestez-vous à ce point cette famille ?

Rataplan. — Pourquoi ?

Poil Fauve. — Avez-vous déjà essayé de vous expliquer avec le père Raisonnement ?

Rataplan. — Ho ho ! M'expliquer ! Il faut être bien jeune et bien vert pour tenir un pareil langage. J'ai une industrie en ce bas-monde : la conquête. Tu ne sais pas ce que c'est. Voir souffrir celui qui a juré ta perte, quelle volupté ! Rataplan, tu sais ce que ça signifie ? Guerre : gauche, droite, gauche, droite, rataplan, plan, plan ! Chut ! Espionner, mentir, surprendre, crier, dévaliser, fuir, truquer, revenir, mar-

che, marche, marche ! Tu n'as donc pas de sang,
idiot ? Regarde la cave : nous en avons pour cinq
générations. Et à chaque automne ça se remplit comme ça, automatiquement. Nous partagerions ? Fou !
Va, réfléchis. Et si j'apprends que ces rendez-vous
sous l'escalier branlant dans le camp ennemi se continuent, je me fermerai le cœur et je déciderai des
choses qui devront être affreuses. Rataplan a parlé,
plan, plan, plan !

Le jeune Rataplan fils s'en allait, tête basse, incapable de saisir cette volupté dans la haine et cette
ambition d'y persister. Il eût été si facile de s'entendre dans cette cave chaude où il y avait place pour
tout le monde.

Petit à petit, l'amoureux Poil Fauve apprenait la
loi éternelle : ici-bas la soif du pouvoir, l'orgueil,
l'envie sont, en vérité, le chiendent du bonheur,
(pour parler comme les rats.)

———

Raisonnement. — Assieds-toi, fillette.

Dodue. — Je préfère rester debout.

Raisonnement. — À ton aise. Raisonnons, raisonnons ! Dodue, ma petite fille, ne t'avais-je point dé-
fendu avec douceur, de traverser le carré de carottes
pour rencontrer...

Dodue. — Je l'aime.

Raisonnement. — Faudra-t-il ériger un mur de
glaise entre vous deux ?

Dodue. — Je le percerai.

Raisonnement. — Un mur de bois ?

Dodue. — Je le grugerai. Faites-le de ciment, de fer, plus dur et plus épais que ce tuyau, j'y userai mes dents et mes griffes. Loin de lui, je me meurs !

Raisonnement. — Ça te passera.

Dodue. — N'essayez pas d'y apporter remède. Je bénirai les obstacles que vous mettrez pour m'empêcher de le rejoindre ! Puisqu'à la fin je les surmonterai, ils seront les preuves de mon amour.

Raisonnement. — Raisonnons, raisonnons !

Dodue. — Non. Je n'ai plus de raison. Je ne veux pas attacher la lourde raison à ces choses ailées. Vous allez me répéter, avec preuves et documents, que Rataplan est votre ennemi, qu'il est jaloux de vous voir partager la même abondance que lui, qu'il est ambitieux, hypocrite, voleur, que voulez-vous que j'y fasse ? Qu'il y ait du froid dehors, je n'y peux rien ; je plains les êtres qui pleurent ou qui se meurent d'envie. Mon amour est à moi, égoïstement, et me consume en dedans. Ça me suffit. Les choses extérieures ne me touchent plus.

Raisonnement. — Tu parles comme la digne fille de Raisonnement, mais tu déraisonnes, tu ne suis pas la tradition. Écoute des faits intéressants et vrais : la semaine dernière encore, j'ai surpris Rataplan en personne dans mes choux, sur mon côté, dans ma zone, sur mon terrain à moi, se bourrant la panse à même mes produits. N'es-tu pas révoltée ? Et tu galipotes avec le fils de ce vaurien ?

Dodue. — Hier matin, pendant qu'il sommeillait encore, n'étiez-vous pas chez lui, mangeant son sarrazin ? Vous vous êtes vanté d'avoir troué le sac

blanc et après vous être bourré bien à l'aise, vous
avez gaspillé son bien entre les fentes du plancher !
Vous vous en êtes vanté.

Raisonnement. — Et pourquoi pas ?

Dodue. — Non non. Je ne veux plus rien entendre.
Pourquoi ces coups de pattes sur mon bonheur ?
Puisqu'on ne peut pas être heureux ici, laissons-nous
mourir ; je ne vois rien d'autre à faire. Cette course
à relais ne peut finir que dans le sang et je suis sensible. Je mourrai d'amour malgré vous et le monde...

———

À petits pas, Dodue s'en allait tristement, dispa-
raissait par le trou en biais sous l'escalier, et dans
les ténèbres de sa chambre pleurait, jusqu'au sommeil, la dureté des cœurs.

———

Rataplan. — Hé, Raisonnement à intrigues, que
fais-tu ici ? Recule.

Raisonnement. — Je suis chez moi, Rataplan mon
voisin. Tu vieillis, tes yeux faiblissent, ne vois-tu pas
que je suis en dedans de ma frontière ?

Rataplan. — Et tu fais mieux d'y rester.

Raisonnement. — Dis-moi, Rataplan.

Rataplan. — Parle. Je suis pressé. Tes distances !

Raisonnement. — Cette corde que je vois pendue
au-dessus de la marche qui conduit à ma demeure,
elle est de ton invention ?

Rataplan. — Je ne comprends pas.

Raisonnement. — Où as-tu appris à faire des nœuds coulants ? Quand tu maraudais avec les mulots, tes bandits de cousins ? Que n'es-tu resté sur les grands chemins à dévaliser les passants ?

Rataplan. — Je te prendrai un jour, toi, Raisonnement. Approche, viens en lice, battons-nous.

Raisonnement. — Tu as plus de muscles que moi, mais attendons la fin. Je ne me bats pas de cette façon, moi.

Rataplan. — Lâche !

Raisonnement. — On verra bien.

Rataplan. — Ne sois jamais le long de mes murs un soir de rafale...

Raisonnement. — Pilleur, j'aurai raison de toi, et surveille bien ton gringalet de fils.

Rataplan. — Cache ta coureuse de Dodue qui séduit la jeunesse.

Raisonnement. — Attendons la fin. Tu verras comment tout cela finira, Rataplan plan plan.

Rataplan. — Raisonne jusqu'au fond de tes méninges ! Un lâche ne m'intimide guère, Raisonnement ment ment.

———

Donc, un soir de tempête, alors que le vent en tourbillon frappait sur les flancs de la cave en sifflant la farandole du diable, Raisonnement qui avait de bons yeux, un corps léger et de la patience, grimpa à une poutre, et sur la griffe, traversa toute la zone ennemie. Rendu au mur du fond, il se mit à inspecter : tâte ici, tâte là... Il trouva ce qu'il cherchait dans son raisonnement depuis plusieurs semaines : un madrier.

Raisonnement. — Je l'ai ! Je suis sauvé. Je l'ai ! Attendons la fin. À l'œuvre, j'ai trop hâte de rire.

Allongé, cou tendu, il se mit à gruger d'abord avec rage, puis avec prudence, d'un œil surveillant les alentours et de l'autre fixant la poutre où il bondirait en cas d'alerte. À ce madrier qu'il avait trouvé et qu'il considérait comme la clef de toute une stratégie, il retourna chaque soir, durant longtemps... Personne ne le surprit jamais à l'œuvre. Tout était bien calculé. Gruge, gruge le madrier, patience, courage ! J'en viendrai à bout ! Ses dents étaient toutes usées, ses gencives saignaient. Un matin il sentit une bouffée de vent froid lui piquer le museau, il avait atteint l'extérieur. Le mois de mars était dehors. Son ouvrage était fini. Il pouvait maintenant dormir tranquille. Légèrement il trotta vers son trou et se tordit de joie sur le plancher de sa chambre.

Raisonnement. — La fin s'en vient. La fin est arrivée. À moi la rigolade...

———

Avril.

———

Poil Fauve. — C'est le printemps, mon amour.

Dodue. — Parle-moi du printemps.

Poil Fauve. — C'est une chose fraîche, veloutée, qui arrive au lendemain du noir. La porte, que tu vois à gauche, s'ouvrira un beau matin et des parfums d'arbrisseaux dans des bonds fous, plongeront chez nous et repartiront à tire d'ailes. Les fleurs chargées d'amour carillonneront à la brise comme des trompettes d'or qui sonnent l'arrivée d'un roi.

Dodue. — Encore !

Poil Fauve. — Et nous sortirons, Dodue, un soir d'étoiles.

Dodue. — Pourquoi la nuit ?

Poil Fauve. — Parce que nous sommes des rats.

Dodue. — Nous sommes donc la risée des autres animaux ?

Poil Fauve. — Peut-être. Mais qu'importe ! Les lapins à fourrure blanche ne se cachent-ils pas des renards ? Qu'importe que nous soyons quadrupèdes peu aimés. Ne sommes-nous pas jeunes et amoureux ? J'ai lu quelque part que même les oiseaux de paradis avec leurs plumes et leurs poèmes colorés avaient des ennemis.

Dodue. — Continue.

Poil Fauve. — Et nous sortirons un soir d'étoiles, moi, un peu devant toi pour te tracer la route, te donnant la patte, nous glissant sous les groseilliers, chez les pousses toutes menues, vertes et tendres. Je te montrerai le ciel. Je sais une source qui coule en cascade, où il faut boire debout.

Dodue. — Nous boirons debout. J'ai bien hâte. Je n'ai jamais bu debout.

Poil Fauve. — Et nous continuerons. Si le chat ou le chien ne veille pas cette nuit-là, nous pousserons notre marche jusqu'au verger, et là, du museau, je te ferai humer la mousse au pied de ces arbres ; c'est plus doux et plus mou qu'un morceau de nuage.

Dodue. — Qu'est-ce donc qu'un nuage ?

Poil Fauve. — Ces lourds coussins de ouate qui roulent en haut après les pluies.

Dodue. — Où vont-ils ?

Poil Fauve. — Au même endroit que nous : ailleurs, voir le temps qu'il fait et l'amour qu'il y a. Et puis nous visiterons la grange où habitent les colosses. Sous un plancher de bois plus épais que ce chou, nous creuserons un nid ; je transporterai la paille que tu disposeras brin par brin au fond de notre couche, et tu verras.

Dodue. — Encore !

Poil Fauve. — La terre est riche, immense, généreuse. Nous nous aimerons.

Dodue. — Les pièges ? Que ferons-nous des pièges ?

Poil Fauve. — Je t'enseignerai l'art de les éviter. Si c'est un art de les poser, c'en est un de les éviter. Ne parlons pas de pièges ni de poisons. Si nous avons le souffle, le sang, la chair, c'est qu'on nous permet de vivre, et si cela nous est permis, il y a certainement dessous une bonne raison.

Dodue. — Et la musique ?

Poil Fauve. — Au printemps, tous ceux qui savent des musiques, cessent de les jouer, pour écouter à leur tour. Le vent tourne sud ; il va, alerte, jeune, bondissant, chercher aux creux des pays blancs par delà les montagnes, des chansons tièdes, douces à rendre fous de bonheur. Nous les écouterons.

Dodue. — Et quand il pleuvra ?

Poil Fauve. — Nous resterons chez nous, museau dans les pattes, à dormir, ou à classer des grains d'avoine, à espérer la lumière.

Dodue. — Quelle est donc sa couleur à cette lumière ?

Poil Fauve. — Si dorée, si brillante, qu'il faut la regarder de côté. Tu te rends compte ? Que veux-tu savoir encore ?

Dodue. — Laisse-moi repasser tout cela, les yeux ouverts. Je ne dormirai plus, je ne veux plus m'endormir ; j'ai peur de ne pas me réveiller et de manquer ma sortie sur le printemps.

Poil Fauve. — Je suis là, à tes pieds.

Dodue. — Mon bel amour.

Poil Fauve. — Amoureuse Dodue, comme ton cœur bat !

Dodue. — Et le tien ?

Poil Fauve. — Il file à grands galops sur cette houle...

Dodue. — Meurt-on de bonheur ?

Poil Fauve. — Je l'ignore, mais d'amour, oui.

Dodue. — Moi, je mourrai d'amour.

———

Avril.

———

Rataplan. — Fils.

Poil Fauve. — Oui ?

Rataplan. — Tu entends ?

Poil Fauve. — Quoi ?

Rataplan. — Qu'est-ce qui tombe ?

Poil Fauve. — C'est le tic tac de l'horloge chez les maîtres en haut.

Rataplan. — Non.

Poil Fauve. — C'est quoi ?

Rataplan. — Malheur !

Poil Fauve. — Mais quoi ?

Rataplan. — L'eau !

Poil Fauve. — Que voulez-vous que cela me fasse ? Rien ne m'émeut plus depuis votre décision de l'autre jour.

Rataplan. — On a troué mon mur, l'eau entre chez nous : courons, bouchons l'entrée.

L'œuvre du bonhomme Raisonnement commençait à faire effet. Rataplan travailla inutilement à boucher la fissure. L'eau entra, d'abord goutte à goutte, puis à mesure que fondait la neige, les gouttes firent place à un filet d'eau qui semblait n'avoir pas de fin.

———

Dodue. — Papa, vous semblez réjoui depuis quelques jours ?

Raisonnement. — Moi ? Non. Oui. Ce doit être à cause du printemps.

Dodue. — Le printemps ?

Raisonnement. — Mais oui. Si tu cessais de pleurer, si tu laissais ta chambre parfois, tu verrais des coulées de soleil se précipiter par le carreau.

Dodue. — Le printemps ?

Raisonnement. — Demain, à l'aube, bras dessus bras dessous, nous irons nous faire chauffer sur la planchette, près des choux-fleurs.

Dodue. — Près des choux-fleurs ? C'est là que je le rencontrais les soirs de lune. Je ne veux plus revoir ce décor.

Raisonnement. — Voyons ma fille, à ton âge on peut aimer deux fois ? Je t'ai enfermée ici pour ton bien, mais c'est fini. J'ai raisonné. Maintenant, tu es libre.

Dodue. — Vous avez bien réussi, papa. Ma vie est brisée. Je ne recommencerai jamais à aimer les jours, fut-ce un ordre. Joue, musique ! Porte-lui mes baisers. Comme tu dois humilier les inventeurs de malheur. Confonds-nous tous ! Moi, je mourrai d'amour comme un grand défi aux misérables haines !

———

Poil Fauve. — Dodue, nous nous retrouverons à la fin. Je sais que tu es là, quelque part, écoutant la même musique que moi. Et nous sortirons un soir d'étoiles, moi par devant, te donnant la patte.

———

Rataplan. — Rien à faire. Trop tard. Le trou s'agrandit, nous sommes perdus. C'est lui, je le tuerai. Nous serons inondés. Dans deux jours la cave sera envahie par l'eau. Nos provisions sont déjà à la nage. Fils, fils, regarde le plancher de notre chambre, il est humide, c'est la fin du monde, perdus ! Ne reste pas planté là à rêvasser ! Viens, aide-moi ! Viens, aide-moi ! N'as-tu pas compris ?

Poil Fauve. — Pourquoi tant vous agiter devant des malheurs que vous avez souhaités ?

Rataplan. — Le danger est à notre porte.

Poil Fauve. — Si ça prend lui pour vous adoucir, qu'il soit le bienvenu.

Rataplan. — Vaines paroles. Levons un mur, dépêchons-nous !

Poil Fauve. — Vous aurez donc passé votre vie à lever des murs ?

Rataplan. — Où vas-tu ?

Poil Fauve. — Adieu.

Rataplan. — Mais, tu me laisses ici, seul ?

Poil Fauve. — Vous n'êtes pas seul. Vous avez tant travaillé pour avoir un ennemi : il est là ! Je vous laisse avec lui.

———

Raisonnement. — Que penses-tu de mon idée, Rataplan ? Coule. D'ici je veux te voir à la nage.

Rataplan. — Lui ! Je l'aurai !

Raisonnement. — Bois un coup d'eau à ma santé !

Rataplan. — Lâche !

———

À quoi bon vous faire entendre cet insipide duel de deux bêtes en colère ? En haut, là, sur la poutre la plus élevée...

Poil Fauve. — Dodue, mon amour !

Dodue. — Poil Fauve, je me laisserai mourir, la terre est un endroit de détresse.

Poil Fauve. — Ne dis pas cela, nous sommes réunis, et nous partirons un soir d'étoiles.

Dodue. — Non. Maintenant, c'est fini.

Poil Fauve. — Quoi ?

Dodue. — Les sorties sont bouchées.

Poil Fauve. — Tu dis ?

Dodue. — Papa a mal raisonné.

Poil Fauve. — Quoi donc ?

Dodue. — L'eau qu'il croyait assujettir, lui a désobéi, car l'eau ne veut pas de maître. Elle a traversé notre frontière.

Poil Fauve. — Tu dis ?

Dodue. — Ma chambre est inondée et il ne le sait pas. Le solage s'effrite derrière nos provisions. Dans quelques heures, notre cave sera un lac. Son invention lui est sortie des mains, il ne peut plus la contrôler. Et moi, je me meurs pour vrai !

Rataplan. — Fils, à moi ! Je suis à la nage ! Qui viendra me sauver ? Je me noie, je me noie...

Raisonnement. — Dodue, je te cherchais : j'arrive de chez nous, c'est grave.

Dodue. — Je le sais.

Raisonnement. — Alors, agissons. J'avais mal calculé. Tu es là, toi, gringalet, voleur de fille ? Que fais-tu là, immobile ?

Poil Fauve. — Nous attendons.

Raisonnement. — Ne voyez-vous pas la terreur qui monte ? Dodue, ma fille, tu recules ?

Dodue. — Oui, vous me faites peur, alors, je recule.

Raisonnement. — Viens là, donne ta main.

Dodue. — Non mon père, je veux mourir ainsi. Poil Fauve, mon amour, nous irons un soir d'étoiles... là-bas...

Raisonnement. — Regardez l'eau qui touche la première poutre. C'est fini. Fils de Rataplan, si tu as du cœur, aide-moi ! À l'ouvrage. Essayons de percer le toit. Je te donnerai ma fille.

Poil Fauve. — Mais je l'ai. Quand votre peau est en danger, ce que vous devenez généreux.

Raisonnement. — C'est trop dur. Fils de bandit, maraudeur, ensorceleur, vous m'êtes tous deux un spectacle odieux. Grugez au moins. Ne voyez-vous pas que nous sommes perdus ? De la tôle, partout de la tôle ! C'est fini : nous n'aurons pas le temps. Toi, aide-moi ou je t'étrangle.

Poil Fauve. — Vraiment ? Vous voulez faire trop de choses à la fois. Rien ne presse plus. Voyez mon père sur le dos, là-bas, qui coule. Applaudissez, monsieur !

Raisonnement. — Au secours !

Poil Fauve. — À notre tour maintenant. Vous qui avez su si bien vivre, nous allons vous voir dans le grand jeu...

Raisonnement. — Et vous autres ?

Poil Fauve. — Ah ! Nous sommes morts à la terre.

Raisonnement. — À moi ! Au secours !

Poil Fauve. — À qui criez-vous donc ?

Raisonnement. — Laisse ma fille, vaurien, Dodue, sauvons-nous par là, donne ta main, il y a un espoir. Dodue...

Poil Fauve. — Dodue !

Raisonnement. — Dodue !

Poil Fauve. — Elle est morte !

Raisonnement. — Je l'ai tuée ! À moi ! À l'aide ! Maison infecte, vie infecte ! est-ce que je pouvais deviner tout cela moi ?

Poil Fauve. — Plongez monsieur avant que je ne vous noie.

Raisonnement. — Je meurs comme un rat !

Et Rataplan fils plongea à son tour, enlaça Dodue qui flottait à la dérive parmi les feuilles de choux, et tous les deux, paupières doucement fermées, roulèrent dans les ténèbres.

———

Au ciel des bêtes.

Rataplan. — Encore un coup monsieur Raisonnement ?

Raisonnement. — Mais je t'en prie, Rataplan, j'ai assez bu.

Rataplan. — Parlant de boisson, ce qu'on a bu cette fois-là, hein ?

Raisonnement. — Oui. Ne m'y fais pas penser, mon vieux. Plus bête que moi, il n'en existait pas sur terre.

Rataplan. — Mais c'était ma faute. J'ai passé ma vie à te provoquer, pauvre vieux ! C'est mon orgueil qui fut cause de notre malheur.

Raisonnement. — Et moi mon raisonnement.

Rataplan. — Laissons cela. Tiens, goûte un peu ces grains d'orge.

Raisonnement. — Merci. Où sont les enfants ?

Rataplan. — Viens les voir, là, dans le rayon de lune.

Raisonnement. — Nous sommes heureux. Et dire que sur terre nous ne possédions pas plus que nous avons ici et nous nous chicanions.

Rataplan. — C'est que nos cœurs étaient barrés.

Raisonnement. — Ah ! Si c'était à refaire !

Rataplan. — Nous sèmerions l'amour dans le fond de nous-mêmes comme un grain précieux.

Les Deux. — Pauvres rats que nous sommes !

UN BAL CHEZ LES FLEURS

Violette. — Eh ! Pissenlit, quoi de neuf chez la reine ?

Pissenlit. — Plus bas, folle ! Les fleurs sont surveillées.

Violette. — Nous aussi ?

Pissenlit. — Tous, toutes.

Violette. — As-tu pu savoir ?

Pissenlit. — Non. Personne ne sait rien. Les glaïeuls montent la garde.

Violette. — Chez elle ?

Pissenlit. — Partout. On craint un enlèvement. La reine est soupçonnée.

Violette. — Elle ? C'est affreux !

Pissenlit. — C'est justice. Qu'elle paie, si elle est coupable.

Violette. — Que dit le peuple ?

Pissenlit. — Il attend comme nous. Les jeunes pousses font des calembours, les plus vieilles s'inquiètent.

Violette. — Comment tout cela va-t-il tourner ?

Pissenlit. — Une rumeur court même chez les marguerites...

Violette. — Une rumeur ? Tu m'affoles !

Pissenlit. — Il paraît... enfin... le bruit court...

Violette. — Dis vite. Quoi ? Personne n'écoute.

Pissenlit. — Penche-toi.

Violette. — Là. Ensuite ?

Pissenlit. — Qu'il y aurait du sang dans cette affaire.

Violette. — Ah ! Tragédie !

Pissenlit. — La reine en est bien capable.

Violette. — Pauvre majesté !

Pissenlit. — Chut...

————

Champignon. — Holà ! Assez !

Violette. — Surpris !

Pissenlit. — Qui est-ce ?

Champignon. — Moi. J'ai tout entendu.

Pissenlit. — C'est toi ?

C'est personne, c'est le champignon.

Champignon. — Mauvais sujet, tu calomnies ta reine. C'est mal, c'est laid et révoltant !

Pissenlit. — Un peu plus bas, toi, pied bot et un peu de respect ! Depuis quand un vulgaire champignon s'adresse-t-il aux fleurs ?

Champignon. — Tu n'en es pas une.

Pissenlit. — La loi, tu la connais ? Des excuses, enfariné poison ! Ou j'appelle.

Champignon. — Qui ?

Pissenlit. — Jardinier, jardinier...

Champignon. — Alors ?

Pissenlit. — J'arriverai jusqu'à toi par les racines et je t'étoufferai, pourriture !

Champignon. — Je suis une pourriture. Après ?
Pissenlit. — Bonsoir. Cale ton chapeau. La paix !

———

Poète. — Mesdames, messieurs, vous êtes ici au parterre des Pousses-Bleues où il se passe des choses très bizarres. Depuis plusieurs matins, Rose-Noire, la toute ditinguée et très gracieuse reine du parterre des Pousses-Bleues, souffre d'un mal étrange qui menace de se propager chez les plantes.

Lasse, nerveuse, elle n'ouvre sa porte à personne, elle refuse lumière, rosée, abeilles, tout. Grande est l'émoi chez les citoyens enracinés. On l'accuse de droite et de gauche comme vous avez pu le constater. Par contre les « baisseurs », les lis sont immobiles, de vieilles petites pensées réfléchissent, et les tendres giroflées ont l'ordre de prier tout le long du jour comme font les capucines. Quel est ce tourment qui afflige la reine ?

C'est le matin. Toute la nuit dernière, le cabinet a siégé d'urgence, à corolles closes. Seigneurs quatre-temps, ducs orchidées, géraniums conseillers royaux n'en finissent pas de délibérer. On veut trouver un chasse-peine à sa majesté souffrante.

Mais voici apparaître du haut du balcon royal, le grand chambellan, seigneur églantier, qui veut parler. Il va parler. Les fleurs tendent leur tige de son côté.

Églantier. — Citoyens du parterre des Pousses-Bleues, ne vous alarmez plus ! La reine va mieux. J'ai une grande nouvelle à vous communiquer. Pour détruire tout soupçon de détresse et toute fausse rumeur, sa majesté royale est heureuse d'annoncer à son peuple qu'elle le gratifie, ce soir, d'un bal, où elle sera vue de tous. Voici l'ordre du jour : papillons d'or et coccinelles, vous êtes priés de sortir et de répandre par tout le pays la nouvelle du bal extraordinaire qui aura lieu ce soir au couchant. Tel est notre bon désir. Réjouissez-vous. Le soleil est levé.

Poète. — En effet, l'églantier est obéi. Je vois, mesdames, messieurs, sortir de dessous le trèfle dix papillons d'or, précédés de vingt-cinq coccinelles jeunes filles et de mille grillons joyeux, s'élever dans les airs, frôler les toits de velours et semer la bonne nouvelle au-dessus du peuple qui applaudit. Les hérauts de sa majesté ont franchi la butte et les voilà qui s'engagent dans le versant : on les dirait à cheval sur des flocons de brume. Ils sont disparus. La foule des fleurs s'agite. Si je me retourne à droite, j'aperçois près de la fontaine, les roses d'honneur, les primevères et toutes les jeunesses du pays, s'ouvrir au soleil ! pour se faire sécher. J'imagine que les pois de senteur et les mignonnettes seront très en demande aujourd'hui, pour parfumer duchesses campanules, jacinthes à clochettes et toutes les coquettes de la cour. L'inoubliable jour des craintives petites débutantes est arrivé. Ce soir, mesdames, messieurs, un bal chez les fleurs...

———

Champignon. — Deux heures de l'après-midi. Allô. Vous me reconnaissez ? Je suis le champignon

que le pissenlit a insulté ce matin. N'ayez pas de
sympathie pour moi : je suis habitué, c'est dans l'ordre. Quoi de neuf au parterre des Pousses-Bleues ?
Pas grand'chose, sinon que la journée paraît bien
longue à tous. Je ne sais si vous les entendez, mais
les musiciens-insectes, les poètes à élytres, les saute-
relles-violons sont à répéter leur musique dans le
creux des cailloux ; là-bas, où il y a de l'écho. On se
prépare pour le bal. D'ici, du bord de ma clôture, à
l'écart, je verrai très bien le spectacle. Je ne suis pas
sous la juridiction de la reine, hélas, mais tout ce
qu'elle décide m'intéresse follement. Le vent passe
dans mon large chapeau, je me balance, je suis ravi,
bouleversé par ce que je vais voir ce soir. Non que je
danserai. Oh non. Pas moi. Je ne suis pas une fleur
et deuxièmement, je ne sais rien des compliments de
la cour. Jamais je n'aurais l'audace d'enlacer une
danseuse, fut-elle une simple marguerite du peuple.
Mais quoi, moi-champignon, j'adore les fêtes, les
couleurs et il faut bien le dire pour l'intelligence de
ce conte, quitte même à scandaliser ces dames d'honneur et à faire sourire les prétendants empanachés,
approchez-vous : je suis amoureux. D'une champi-
gnonne comme moi ? Non pas. De quelque brin
d'oseille ou d'une gaillarde petite rapace ? Encore
non. Je le dis sur le fin bord de mon âme parce qu'il
le faut bien : je suis amoureux de celle qu'il ne faut
pas : de la reine.

Violette. — Pissenlit, crois-tu que la reine va danser ?

Pissenlit. — Qu'est-ce que ça me fait ? Moi, je
danserai, mais j'aurai l'œil ouvert.

Encore là champignon ?

Champignon. — Oui monsieur, encore ici.

Pissenlit. — Vas-tu danser ce soir ?

Champignon. — Non monsieur, je ne suis pas une fleur.

Pissenlit. — Je suis de ton avis, rapace !

Violette. — Laisse-le. Attache mon collier, veux-tu ?

Pissenlit. — Dormons un peu si nous voulons être belles.

Champignon. — Pourquoi suis-je amoureux d'une reine ? Il ne faut pas être amoureux des reines...

———

Poète. — Sept heures, mesdames, messieurs. Maintenant, le soir vient. D'abord à ras le sol presque chez les racines, puis sur les tiges. Voilà qu'il fait brun chez les toutes petites pousses qui dorment déjà. Le soleil, témoin tout le jour de la préparation de la fête, colle des rayons mauves au ventre de plusieurs petits nuages tout ronds et, discrètement, bascule derrière la montagne. Je crois que c'est le signal. Je ne me suis pas trompé. Mouches à feu apparaissent. Un gros quatre-saisons fait signe aux sauterelles de nuit. Mesdames, messieurs, le bal commence...

Spectacle merveilleux ! Bégonias et tulipes s'enlacent tendrement. Chiffons bleus et mantes rouges, jabots verts, corolles blanches se mettent doucement à valser, inondant de révérences sa gracieuse majesté qui se tient au milieu, entourée de jonquilles.

Spectacle ravissant ! Le bal est commencé... entendez
la musique...

———

Champignon. — C'est encore moi, le champignon.
Haussé sur mon petit pied bot, un brin de muguet
sur mon chapeau de travers et les épaules à la brise,
je rythme la musique des fleurs. C'est merveilleux !
Lis, lilas, orchidées, bégonias et même une famille
de pieds-de-veau sont à la fête au crépuscule. En haut
des branches, j'aperçois plusieurs oiseaux curieux qui
se délectent l'œil devant ces ravissantes couleurs. Ils
ont raison. Si j'étais un oiseau, j'en ferais autant. Et
moi, je rêve en extase à quelques pas de ma reine.
Ce qu'elle est belle ce soir... Ni les feuilles savantes,
ni les tiges subtiles, ni les philosophes perce-neige,
personne ne sait que je donnerais ma vie pour elle !
Poète. — Le bal bat son plein. La reine va danser
tout à l'heure. De vieux ambassadeurs à collet doré,
donnent le bras aux duchesses pour un tour de me-
nuet. Je vois deux ministres géraniums près de la
rangée de lis ; ils parlent certainement d'améliorer
le domaine. La nuit sera claire, tout est splendide.
Les gouttes d'eau au sommet de la fontaine, là-bas,
ressemblent à des guêpes bondissantes. Combien de
petites frimousses, ce soir, reçoivent, émues, les premières confidences de galants faiseurs de sonnets !
Le bal triomphe. Le peuple s'amuse. La reine semble
n'avoir jamais eu de chagrin.
Champignon. — Excusez-moi, monsieur...
Poète. — Nous allons maintenant décrire les toi-
lettes.

Champignon. — Vous vous trompez, Permettez ?
Qui vient là par la gauche ?

Poète. — Comment ? Qui ose ?

Champignon. — Des pas. Un mulot ? Un lapin ?
Quelque brute de chèvre écervelée ? Non.

Poète. — Qui vient là ?

Champignon. — Deux hommes. Mais c'est dé-
fendu.

Poète. — Qui sont-ils ?

Champignon. — Je ramène mon chapeau sur mes
cils et je suis de l'œil les maraudeurs. Les deux hommes s'avancent.

Poète. — Que veulent-ils ?

Champignon. — Le plus petit tient un sac sous le
bras. L'autre est armé d'un instrument plus terrible
qu'un fusil.

Poète. — Un sécateur !

Champignon. — Un sécateur ! Non ! Que vont-ils
faire ? Arrêtez ! Sauvez-vous messieurs ! Ici la cour
s'amuse, c'est le soir de la reine ! Ils m'ont enjambé
grossièrement. Les voilà qui envahissent le parquet
royal.

Poète. — Que se passe-t-il ? La musique cesse.
Deux hommes, mesdames, messieurs, deux intrus
viennent saccager le décor. Ces pauvres hommes,
pourquoi ne peuvent-ils pas rester chez eux plus souvent ? La scène change. De charmante et gracieuse
qu'elle était, la voilà tendue, difficile.

Champignon. — On fuit.

Poète. — Ceux qui peuvent fuir comme les musi-
ciens, fuient. Mais les fleurs ne peuvent pas, malgré
leurs ailes.

Champignon. — Que va-t-il se passer ? Arrêtez ! Sacrilège ! Vous êtes assez loin, messieurs.

Poète. — Grand tumulte dans la cour royale. Seigneurs bégonias, épines hérissées, couvrent leur dame. Les roses sortent leurs piquants ; les herbes à la scie, leur scie ; les autres, leurs échardes et c'est l'attente. Une fière rangée de jeunes glaïeuls, piques en avant, protègent la reine.

Le bal allait trop bien. Trop vite nous nous sommes réjouis. Le sécateur est penché dans l'herbe. Clic ! Il a osé !

Champignon. — Qui est-ce ?

Poète. — On a coupé un *morning glory* !

Champignon. — Incroyable ! La guerre ?

Poète. — Clic ! Clic ! Deux tulipes viennent de filer au fond du sac. Clic ! Un bégonia. Clic ! Le ciseau va et vient, l'infâme fait son travail sans répit, sans crier gare. Clic ! clic ! deux boutons de roses blanches ! Clic !

Champignon. — Arrêtez ! Infamie !

Poète. — On saisit la reine au collet et clic ! Dans le sac ainsi que cinq grands lis qui gardaient le peuple !

Champignon. — Je vengerai la reine ! Je vengerai la reine ! Arrêtez !

Poète. — Le champignon se dresse. Il veut venger la reine ; il crie son dégoût aux irrespectueux intrus, clic ! On lui coupe le tronc et on l'enfourne avec les autres dans le sac. Les derniers seigneurs relèvent une tête fière. Clic ! Dans le sac eux aussi. Et les voilà partis !

Alors moi, je n'ai plus rien à faire ici que de quit-

ter la place à mon tour. Nous les suivons. Vous
venez ? On suit. Suivons. Mon Dieu comme c'est
triste ! Danseuses et polichinelles, marquis poudrés
et roses débutantes, endimanchés pour le bal, s'en
vont pêle-mêle dans le sac, robes froissées, perruques
pendantes et cornettes tombantes, corsages écrasés.
Ils s'en vont pendus à l'épaule de l'homme. Où
allons-nous ? Le bal allait si bien. Laquelle des
fleurs a commis une faute qui attire une si grande
calamité sur le peuple ? Marchons.

Je décrivais le bal chez les fleurs. Ils sont arrivés
avec des sécateurs et un sac. Invasion barbare. Et ils
continuent leur route comme si rien n'était. De quel
droit arracher les fleurs comme de vulgaires char-
dons ? Suivez-vous toujours ? Tiens, une petite allée,
une maison au bout. Ils entrent. J'entre aussi. Qu'est
ceci ? Je fume. Fumez aussi si vous voulez messieurs,
dames. Une salle. Je suis dans une salle. Je vois des
fioles et des bouquets et des plantes exotiques. Où
sommes-nous ? Laboratoire. Personne ne m'empêche-
ra de faire mon métier. Je décris. Mesdames, messieurs, je suis dans un laboratoire Ces deux hommes,
sans contredit, sont deux bourreaux ou deux savants.
Que va-t-il arriver ? Sur une grande table froide, le
sac est brusquement tourné à l'envers et hop, pêle-
mêle, les fleurs sont précipitées sous une lumière
aveuglante. Pauvres fleurs ! Quel contraste avec la
féerie de tout à l'heure. Presque inanimées ! Les
dames ramènent leurs voiles, d'autres rajustent leur
panier. Les conseillers à collet d'or gémissent. C'est
honteux, cette scène, je ne l'aime pas du tout. Une
rose donne un violent coup d'épingle à une des

mains d'homme. À la bonne heure ! Que veulent ces pilleurs ? D'étranges instruments dorment ici et là. Des fioles, je disais. Des plantes, quelques-unes borgnes, regardent avec épouvante leurs cousines du plein air. Je ne m'explique pas encore cette déportation. Les hommes cherchent parmi les fleurs. Ils causent. Avez-vous compris quelque chose ? Moi non plus. Ils promènent leur gros index sur la robe des intouchables marquises. Aucune des fleurs ne comprend ce langage saccadé. Le champignon ne détache pas les yeux de sa reine. Je le comprends. Que va-t-il arriver ? Quelle bizarre histoire ! Je me demande si ces hommes comprennent le langage des fleurs.

Pissenlit. — Eh ! Violette, mon amie !

Violette. — Ne me parle pas, je suis inconsciente.

Pissenlit. — J'ai peur. Que va-t-il nous arriver ? Regarde ! On a brisé ma belle bouche d'or !

Champignon. — Tiens, Pissenlit, tu pleures ?

Pissenlit. — Oh ! Champignon, petit champignon, qu'avons-nous fait, grands dieux !

Champignon. — Te voilà bien tremblant !

Pissenlit. — Je suis innocent.

Champignon. — La reine va parler. Tais-toi. La reine ! Elle ramène sur ses yeux plus doux que l'aube, la pointe de ses longues corolles noires. Elle est humiliée. Elle pleure.

Pissenlit. — Je veux retourner au parterre.

Champignon. — Tais-toi.

Reine. — Mes amis, mes sujets, mes très chers. Je cache depuis quelques jours un secret à mon peuple, un tourment, une détresse. Pour l'oublier, j'ai commandé le bal mais le bal ne l'a pas dissipé. Publique-

ment j'ai une confession à faire. Il y a cinq jours, j'ai
blessé au doigt un enfant humain, un petit qui jouait
au parterre des Pousses-Bleues. Il s'est approché trop
près, je l'ai piqué. La piqûre a dégénéré en blessure
où s'est infiltré le poison : la gangrène. Un de mes
messagers, un papillon rouge, qui voyageait des
fenêtres de l'enfant à ma demeure royale, m'appor-
tait les nouvelles. Hier, il m'apprenait qu'on devait
couper le doigt à l'enfant. Voyez ici, cette épine et le
sang humain dessus. Je dis adieu à mon royaume,
l'on va me détruire moi et ma race, mais je déclare...

Champignon. — Majesté, reine, gracieuse dame...
permettez-moi...

Reine. — Qui est-ce ?

Pissenlit. — Arrière, fou !

Champignon. — Je suis un champignon qui demande à votre majesté une faveur extraordinaire.

Reine. — Laissez-le parler. Laquelle, champignon ?

Champignon. — Qu'on prenne ma vie qui ne vaut
rien à la place de celle de votre majesté !

Reine. — Tu m'émeus ! Je te rends grâce, champignon. C'est toujours la même histoire : dans les bonheurs ne sont présents que ceux qui sont connus,
dans les malheurs surgissent les inconnus. Messieurs
les orchidées, fiers glaïeuls, superbes prétendants,
vous vous taisiez. Quand il s'agit de baller vous êtes
en forme, mais s'agit-il d'offrande telle que celle-là,
vous êtes silencieux. Je te remercie champignon.
Garde ta vie. Me faire un tel présent, dis-moi, pourquoi ?

Champignon. — S'il fallait que les roses dispa-

raissent des jardins, pensez donc... tandis que la dis-
parition de ma race ne ferait pas un grand vide. Si
ces messieurs du laboratoire comprennent le langage
des fleurs, qu'ils entendent ma voix, qu'ils me pren-
nent à votre place et vous allez voir un petit champignon heureux...

Pissenlit. — Il n'a à offrir que de la pourriture !

Champignon. — C'est vrai. Mais je l'offre, mais je
la donne. Qui dit que la pourriture ne vaut rien ?
Qui peut dire que ce n'est pas elle qui sauvera le
monde ? Prenez-moi. Collez-moi sur la blessure de
l'enfant, je vous le dis. Vous verrez des choses qui
vous dépasseront.

Poète. — Le savant du laboratoire comprenait le
langage des fleurs. Touché par ce discours du champignon, il l'écouta, il prit sa vie et vous savez la suite.
L'enfant fut guéri presque miraculeusement. Vous
savez comment aujourd'hui a nom cet obscur citoyen
du parterre des Pousses-Bleues. Vous savez que dans
des voûtes hermétiques, on conserve de par le monde
le champignon sauveur. Inutile d'ajouter que la reine
fut remise en liberté et tous les citoyens du parterre
des Pousses-Bleues. Le soleil plane de nouveau sur
les plantes qui ont retrouvé paix et amour, mais
depuis cette histoire, on dit que les roses noires fer-
ment leurs corolles plus à bonne heure que les autres,
en signe de respect à la mémoire du champignon.

Violette. — C'est ici qu'il habitait, le petit champignon.

Pissenlit. — Lui ? Entre nous, c'était un exalté.

Violette. — Comment oses-tu dire ? Il nous a sauvé la vie à tous !

Pissenlit. — C'était quand même un exalté !

Violette. — Avoue que nous n'avons pas son génie.

Poète. — Une morale de cette histoire circule maintenant chez les plantes. N'importe quelle herbe à puce ou chiendent sans éducation peut vous l'interpréter : Il ne faut jamais dire de quelqu'un qu'il ne vaut rien, puisque même la pourriture sert à sauver le monde ! Et dans le Livre Saint, n'est-il pas écrit : « Aux rondes et grasses brebis, il préféra la galeuse, la folle, l'égarée »....

Anse, Vaudreuil, 1948.

TABLE DES MATIÈRES